Velké myšlenky

Jacob Field

Funguje kapitalismus?

KNIŽNÍ KLUB

Obsah

extra
BLACK FRIDAY
extra
SAMSUNG
SMART TV
SAMSUNG
SMART TV
SAMSUNG
SMART TV
40
SAMSUNG
SMART TV
5 SERIES
5200 40
SMART TV
SAMSUNG
SMART TV
SAMSUNG

Úvod

A

Kapitalismus je ekonomický systém, jehož hlavním cílem je zisk. Zboží a služby se vyrábějí za účelem finančního zisku. Definice je sice přímočará, přesto však vyvstává složitější otázka: funguje kapitalismus?

Odpověď na tuto otázku vyvolává mnoho dalších otazníků: Co kapitalismus lidstvu přinesl? Kdo má z tohoto systému užitek? Co se děje, když nejsou zisky rozdělovány spravedlivě? Udělal kapitalismus něco pro omezení sociálních a globálních nerovností, nebo je pouze rozšířil? Existují alternativy kapitalismu, a pokud ano, jak jsou účinné? Jaké jsou dopady kapitalismu na životní prostředí? A je možné tento systém upravit tak, aby nabízel udržitelnou budoucnost?

Zaobírat se těmito otázkami je navýsost důležité, protože kapitalismus je všudypřítomný, a to už od doby, kdy se poprvé v moderní podobě objevil – tedy před více než dvěma sty lety (v této době se také odehrávala průmyslová revoluce a počátky globalizace). Kapitalismus se rozšířil po celém světě a stal se převažujícím ekonomickým systémem. Současný svět je s kapitalismem nerozlučitelně propojený; je to síla, před kterou není úniku, ovlivňuje každého obyvatele naší planety a zasahuje každý aspekt našeho života. První kapitola této knihy se podrobně zaměří na vývoj moderního kapitalismu od jeho kořenů ve Velké Británii na konci 18. století až do globální finanční krize v roce 2008. Zabývá se také tím, jak se v průběhu tohoto období měnil pohled lidí na hospodářství.

Na úspěch, případně neúspěch kapitalismu existují protichůdné názory.

Když budeme ignorovat jednu nebo druhou stranu, budeme mít omezenou perspektivu, která nám naprosto znemožní hlubší pochopení ekonomiky. Ve druhé a třetí kapitole se budeme věnovat oběma stranám této debaty. Kapitola 2 vypočítává pozoruhodné úspěchy kapitalismu – vedoucí k větší prosperitě, vyššímu životnímu standardu a vytvářející základy pro některé z nejdůležitějších inovací v dějinách. Oproti tomu třetí kapitola zkoumá nejproblematičtější rysy kapitalismu – jak se stalo, že obohacuje pouze uzavřené elitní kruhy, vytváří nebývalou míru nerovnosti a pravděpodobně nezvratitelně poškozuje životní prostředí. Existují také úpravy, modifikace a alternativy kapitalismu. Kapitola 4 uvádí některá z možných řešení, která by mohla napravit jeho nejproblematičtější a nejškodlivější rysy.

A Jedno z nejvýznamnějších děl George Orwella Farma zvířat (1945) je alegorií revoluce v Rusku v roce 1917 a vzestupu stalinismu. Navzdory rovnosti, kterou slibovala ostatním zvířatům, vytvořila prasata ještě horší diktaturu, než jakou zažívala u svých dřívějších lidských majitelů.

Průmyslová revoluce nastala, když došlo k přechodu hospodářství založeného převážně na zemědělství k ekonomice založené více na tovární výrobě. S ní přišel rychlý hospodářský rozvoj a růst produktivity.

Globalizace označuje proces integrace světového hospodářství, který se začal zrychlovat koncem 19. století. Zahrnul ekonomiku, kulturu i politiku.

Než se ponoříme hlouběji, objasníme si základní principy kapitalismu. Zásadní jsou ekonomičtí činitelé kapitalistického systému. Těmi mohou být jednotlivci, firmy, instituce nebo vlády. Ekonomické aktéry můžeme obecně rozdělit na vlastníky a pracovní sílu. Vlastníci jsou držiteli výrobních prostředků, jimiž mohou být přírodní zdroje (např. půda) nebo kapitálové zboží (např. hmotný majetek). Všichni ekonomičtí činitelé reagují na incentivy, a to zejména peněžního rázu.

Až do 19. století byli vlastníky především jednotlivci, nyní jsou nejmocnějšími aktéry firmy. V kapitalistickém systému jsou majitelé obvykle součástí soukromého, nikoli vládního sektoru. Veřejný sektor pod dohledem vlády se zaměřuje na poskytování služeb potřebných pro celou společnost, například infrastrukturu, vzdělání a zdravotní péči. Soukromý sektor je zaměřený především na tvorbu zisku pro majitele. Podniky pracující za účelem tvorby zisku poskytují daleko širší škálu zboží a služeb, což znamená, že v kapitalistickém systému obvykle zaměstnávají podstatně větší část pracovní síly a mají větší podíl na celkovém hospodářství.

Ekonomičtí činitelé vytvářejí komodity obchodované na volném trhu, který jim přidělí hodnotu, za niž se směňují. Prvotní obchodování (předtím, než se peníze staly hlavním směnným prostředkem) bylo

A

Poptávka označuje množství produktů, které jsou ekonomičtí činitelé ochotni koupit; **nabídka** je daná tím, jaké množství zboží na trh poskytne prodávající. Teoreticky se ceny budou pohybovat, dokud nenastane rovnováha mezi množstvím poptávaného a nabízeného zboží.

A Bitcoin vznikl jako celosvětová digitální měna v roce 2009. Od této doby jeho hodnota vůči americkému dolaru vzrostla více než 4 000krát.

B Tato mapa Moluckých ostrovů (Ostrovů koření) je z *Theatrum Orbis Terrarum, sive, Atlas Novus* (1635) od Willema a Joana Blaeuových. V současnosti jsou částí Indonésie, ale zde získávaná koření přilákala mnoho evropských obchodníků a kolonizátorů, především Portugalce a Holanďany.

B

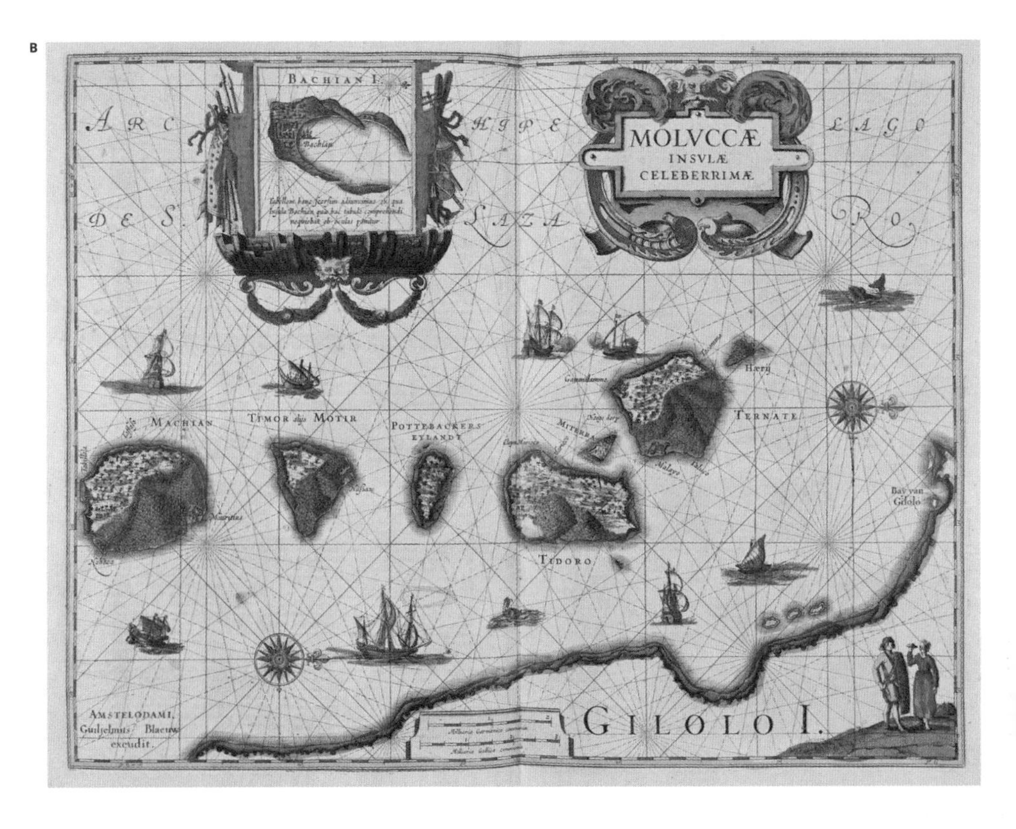

založeno na barterovém obchodu. Peníze vznikly nejprve jako hmatatelná hotovost, nyní ji nahrazují digitální měny, kam patří mj. i bitcoin.

Trh je místo, kde se setkává nabídka a poptávka. Vztah mezi těmito dvěma faktory pomáhá určit ceny a ekonomickou aktivitu.

Hlavním problémem ekonomů po několik století bylo zajištění efektivního fungování trhu. Když koncem 18. a začátkem 19. století vznikla ekonomie jako vědní obor, převládal názor, že by vláda neměla do tržního prostředí zasahovat. Vývoj by zajišťovala konkurence mezi prodejci, protože snaha získat zákazníky by směřovala k nejefektivnějším řešením. Tak by se zvýšila produktivita a snížily ceny. Mělo se za to, že když se trhu umožní regulovat sám sebe, vznikne stav, který bude výhodný jak pro majitele, tak pro spotřebitele, a povede k hospodářskému růstu. První kapitola zpochybňuje mnohé z těchto předpokladů.

A

A Kontejnerové lodě převážející zboží v kovových bednách se používají od padesátých let minulého století. Tento způsob dopravy zboží výrazně snížil cenu přepravy a stal se jednou z hybných sil globalizace.
B Distribuční středisko Amazonu v anglickém Rugeley je v podstatě ohromná hala, kde je umístěno zboží. Pracují zde „vyskladňovači", kteří zboží vybírají z regálů, balí a posílají zákazníkům. Internetové obchody používají distribuční střediska pro uskladnění a zasílání zboží, zatímco samy se soustředí na ostatní oblasti obchodu.

Klíčovým rysem kapitalismu je mezinárodní obchod. K němu dochází, když jedna země získává něco z jiné země, protože je to lepší, levnější nebo v první zemi nedostupné.

Kapitalismus samozřejmě potřebuje finance. Na finančních trzích se obchoduje pomocí prostředníků – například bank – propojujících ty, kteří kapitál potřebují (dlužníky), a ty, kteří ho mají (věřitele). Bez těchto systémů by moderní kapitalismus nebyl možný. Zajišťují, aby se kapitál efektivně investoval do rostoucích sektorů, ovšem existuje i nebezpečí, že povede ke spekulativnímu chování věřitelů toužících po maximalizaci příjmů. Ještě větší potenciální hrozba spočívá v nejistotě, ke které dochází, když věřitelé ztratí důvěru v určitý sektor nebo zemi a odmítají jim dále půjčovat.

Zásadní úlohu v úspěchu či nezdaru kapitalismu hraje stát. Nejdůležitější funkce, které s ohledem na kapitalistický systém zastává, jsou: udržování pořádku, vytváření institucionální struktury (např. právním systémem), poskytování veřejných statků (např. infrastruktury) a pomoc ve chvíli selhání tržních mechanismů. Aby toto stát mohl financovat, potřebuje půjčky a daně.

B

Teď jsme si popsali základní strukturu kapitalismu, ale jak poznáme, jestli „funguje“?

Jedním z měřítek rozvoje je rozdělení sektorů. Rozlišujeme tři kategorie: primární sektor (využívající přírodní zdroje, například zemědělství), sekundární (výroba) a terciární (služby). V méně rozvinutých ekonomikách (a ve většině světa před začátkem průmyslové revoluce) je nejvíce obyvatelstva zaměstnáno v primárním sektoru.

Na začátku 20. století proběhl celosvětový posun směrem k výrobě. Od padesátých let 20. století se světové hospodářství začalo více soustředit na služby – například dopravní a finanční. S rostoucími příjmy lidé začínají více utrácet za služby a méně za potraviny a jiné výrobky. Obecně řečeno, čím je země bohatší a rozvinutější, tím větší podíl obyvatelstva pracuje v terciárním sektoru.

Je-li cílem kapitalismu zisk, potom nejjednodušším způsobem, jak zjistit jeho úspěšnost, je posoudit, zda došlo k růstu bohatství.

Veličinou, kterou většina ekonomů používá pro posuzování rozvoje, je hrubý domácí produkt (HDP). Vyjadřuje hodnotu veškerého zboží a služeb, které daná země vyprodukovala (obvykle za rok nebo čtvrtletí). Když toto číslo vydělíme počtem obyvatel, získáme HDP na hlavu a z toho si vytvoříme přesnější obrázek o produktivitě země. Součet HDP všech zemí světa vyjadřuje hrubý celosvětový produkt, který

A

Giniho koeficient je číselným vyjádřením rovnosti rozmístění bohatství v populaci územního celku. „0" znamená, že všichni mají stejný příjem, „1" vyjadřuje vlastnictví veškerého bohatství jedinou osobou. Vytvořil jej italský statistik Corrado Gini (1884–1965).

B

A Na začátku osmdesátých let byl hotel Sheraton jediným výrazným bodem v panoramatu West Bay v katarském Dauhá. Okolní krajina byla z velké části prázdná a nevyužívaná.

B Dnes je Dauhá mrakodrapy zcela zaplaveno.

C Ve vesnici Gam ve Středoafrické republice je těžba zlata hlavním zaměstnáním a dětská práce je zde stále běžným jevem.

D Oproti tomu většina obyvatel Norska si užívá vysokého životního standardu a dlouhého a zdravého života.

C

D

v roce 2016 dosáhl 75,6 trilionu amerických dolarů. Podle Světové banky od roku 1960 průměrný světový příjem na jednoho obyvatele vzrostl ze 450 USD na více než 10 000 USD. Údaje na jednoho obyvatele jsou průměrné, tudíž se v nich ztrácejí odchylky v bohatství jednotlivců. Giniho koeficient vyjadřuje rozdělení bohatství v rámci země.

Dolarové údaje vypovídají jen polovinu pravdy.

Více o kvalitě života vypovídají jiné údaje – například index lidského rozvoje (HDI). Výše HDI je závislá na očekávané délce života, vzdělání a příjmu. Podle údajů OSN mělo nejvyšší HDI v roce 2015 Norsko (0,949) a nejnižší Středoafrická republika (0,352). V bohatších zemích se lidé těší lepšímu zdraví, mají kvalitnější vzdělání, možnost demokratické volby a užívají více osobní svobody.

Nejlepší způsob, jak rozhodnout, že kapitalistický systém funguje, je zjistit, zda poskytuje vyšší kvalitu života maximálnímu množství obyvatelstva, nikoli pouze hrstce vyvolených.

Tato kniha zkoumá, jak kapitalistický systém přispívá k prospěchu i ke zkáze lidské rasy, zaměřuje se na jeho možné alternativy a změny, které by přispěly k jeho zlepšení.

1. Jak se kapitalismus vyvíjel

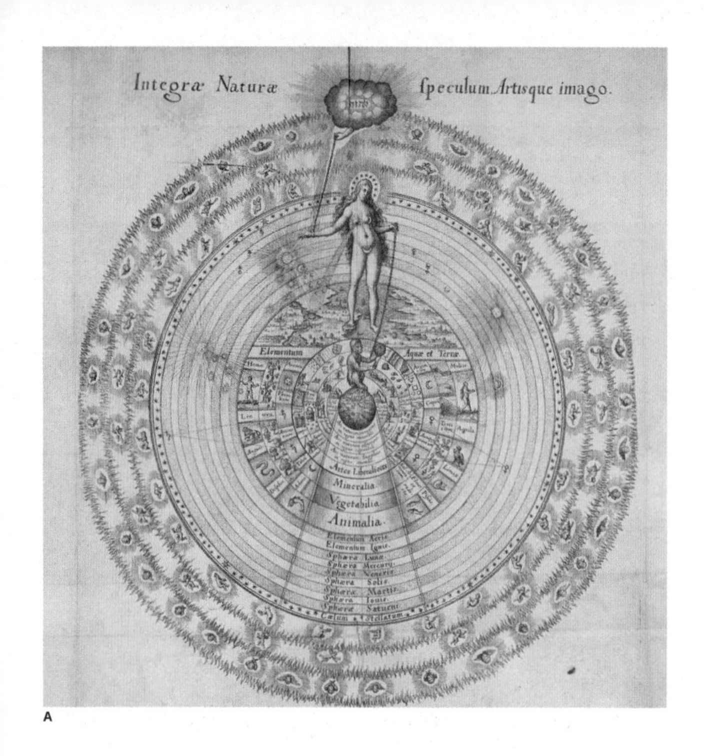

A

Feudalismus byl systém rozšířený ve středověké Evropě. Vytvářel jasně rozdělenou společnost, kde měl teoreticky každý nějaké povinnosti k nadřazené vrstvě. Většina lidí, z velké části rolníci, dávala nějakou část své práce nebo jejích výsledků svému pánovi a on měl nad jejich životy značnou moc.

Výkon je množství služeb nebo zboží, které vyprodukuje jeden člověk, stroj nebo oblast.

Po větší část lidských dějin ekonomiky v podstatě stagnovaly. Kořeny světového obchodu sahají do 2. století př. n. l., k založení Hedvábné stezky, rozsáhlé sítě pozemních a mořských cest, která propojila Asii a Evropu a která svůj význam ztratila až v 15. století. Převážná část lidského úsilí však byla zaměřena na zemědělství zajišťující holé živobytí a splnění feudálních závazků.

Kořeny moderního kapitalismu se objevily v západní Evropě po roce 1500, především v Nizozemí a Anglii. Akumulace kapitálu a tvorba zisku byly stále důležitější, až se nakonec staly středem hospodářského zájmu. Tyto změny doprovázel růst mezinárodního obchodu, finančních institucí, nové ekonomické teorie a technologie zvyšující produktivitu. Přesto zůstal ekonomický růst pomalý po dalších tři sta let. Většina ekonomik rostla o 2 % za deset let, pokud vůbec.

V mnoha ohledech je vývoj ekonomiky země výsledkem změn ve třech oblastech: počtu obyvatelstva, technologických vědomostí a institucí. Na začátku moderní doby došlo v Británii k transformaci všech tří. Výsledkem byla první průmyslová revoluce, která vypukla v polovině 18. století a probíhala až do třicátých let 19. století.

Na tento proces se můžeme dívat jako na přerod ekonomiky organické v neorganickou. Organické ekonomiky jsou založené především na síle lidí a zvířat a strojů, které tato síla pohání. K tomu se přidávaly stroje poháněné přírodními zdroji energie – větrem a vodou (např. větrné a vodní mlýny). Fixní množství půdy a zdrojů, které je možné z půdy získávat, omezuje růst. Teoreticky jsou anorganické ekonomiky schopné daleko rychlejšího růstu, protože jsou závislé na mechanické energii z minerálních zdrojů získávaných těžbou – uhlí nebo ropy. A dobře udržované stroje teoreticky mají konstantní výkon.

A ***Velký řetězec bytí* (1617) od Roberta Fludda ilustruje myšlenku, že všechno ve vesmíru – lidé, zvířata, rostliny a minerály – je možné klasifikovat a hierarchicky seřadit.**

B Tato ilustrace ze srpnové strany kalendáře v *Žaltáři královny Marie* (okolo 1310) ukazuje šafáře dohlížejícího na nevolníky při sklizni obilí. Kromě toho, že podléhaly rozmarům počasí, byly zisky ze zemědělství nízké nebo téměř žádné po dalších 500 let.

Od začátku 17. do konce 18. století probíhalo v západním světě období osvícenství a vědeckých revolucí. To přispělo k zásadnímu posunu intelektuálního a filozofického života a vedlo ke vzniku racionálnějšího pohledu na svět. Systemizace usnadnila rozšiřování vědomostí, a tím šíření nových myšlenek, jejich zdokonalování a úpravy.

B

Nejdůležitějším posunem byl vynález parního stroje a mechanizace textilní výroby – k oběma došlo nejprve v Británii. Těmto oborům se lidí intenzivně věnovali, protože slibovaly výdělky. Bylo to tím, že platy byly v 17. století v Británii relativně vyšší než v jiných zemích, takže pracovní síla byla pro podnikatele drahá. Proto zde byla motivace vytvořit a používat stroje šetřící práci. V zemích, kde byla práce levnější – v Indii nebo v Číně, tato motivace chyběla.

První parní stroje vznikly na přelomu 17. a 18. století, aby pumpovaly vodu, jenže jejich pohyby byly příliš nepřesné na to, aby poháněly stroje. Navíc jejich provoz byl drahý, protože palivo nespotřebovávaly efektivně. Teprve v šedesátých až sedmdesátých letech 18. století vznikl parní stroj s natolik plynulým rotačním pohybem, že mohl pohánět další stroje. V průběhu dalších sta let se jeho podoba stále zlepšovala a upravovala. V roce 1760 v Británii pouze 6 % z 85 000 koňských sil vyráběných stacionárními zdroji energie pocházelo z páry. Oproti tomu v roce 1907 stacionární zdroje energie vyrobily 9 842 000 koňských sil, z toho 98 % pocházelo z páry.

A ***Interiér, Žena u kolovrátku*** **(1868) od Knuda Larsena Bergsliena. Před příchodem mechanizace bylo předení, například vlněných vláken, jednou z hlavních ženských prací, většina žen se této činnosti věnovala doma.**

B ***Kovárna*** **(1772) od Josepha Wrighta z Derby. V Anglii byly v 18. století objeveny nové způsoby výroby železa, kterými vznikalo železo levnější a kvalitnější.**

C **Během 19. a na začátku 20. století patřil Wales k hlavním světovým producentům uhlí. Na této fotografii je ústí šachty, těžební věž a nákladní vozy u dolu Ponsy Pool v Monmouthu ve Walesu v roce 1888.**

D **Některé doly dovolovaly nezaměstnaným zadarmo vybírat kousky uhlí z vytěžené hlušiny. Tato fotografie vznikla roku 1936 v Cilfynyddu nedalo Pontypriddu v údolích Jižního Walesu.**

A

B

C

D

Zdroje levného uhlí způsobily zásadní obrat z původní nehospodárnosti parního stroje. Díky vlastním rozsáhlým přírodním zdrojům byla Británie první zemí, která začala průmyslově využívat uhelnou energii. V roce 1800 se 90 % uhlí těžilo zde.

Průmyslová revoluce transformovala tovární výrobu – první přišel na řadu textilní průmysl. Od poloviny 18. století k celkové mechanizaci textilního průmyslu přispěla řada vynálezů. Během jednoho století byla textilní výroba v Británii dokonale poháněná parními stroji a produktivita se prudce zvýšila.

A

V roce 1750 bylo ke zpracování 100 liber bavlny potřeba přibližně 100 000 pracovních hodin. Začátkem 19. století stačilo už jen 100 hodin. Technologie používané v textilním průmyslu byly převzaty dalšími průmyslovými obory – například metalurgií a hrnčířstvím – a dalšími zeměmi (Belgie byla první zemí na evropské pevnině, která tyto technologie převzala). To, co začalo jako snaha o levnější výrobu textilu, nakonec transformovalo celou společnost. Mechanické stroje byly pro domácí použití příliš velké a drahé. Z finančních důvodů bylo proto efektivnější produkci centralizovat do továren, kde větší rozsah výroby snížil náklady. To přispělo k urbanizaci, protože továrny se obvykle stavěly ve městech, aby byly blízko pracovní síle, trhům a dopravním uzlům.

Dříve dělníci pracovali vlastním tempem a sami si stanovovali pracovní dobu. V továrnách pracovní dobu a podmínky řídili zaměstnavatelé. Dělba práce znamenala, že se dělníci specializovali, aby maximalizovali výkon. V této době rostoucí produktivita zemědělství – podnícená novými technologiemi a efektivnějším využitím půdy – uvolnila pracovní sílu pro práci v továrnách.

A ***Přadlenky bavlny*** **(1911), fotografie od Lewise Hinea zobrazuje dětské zaměstnance v textilní továrně. Hineho fotografie byly významným faktorem, který přinutil americkou vládu přijímat zákony regulující dětskou práci.**

B **Od roku 1763 do roku 1775 James Watt se svým obchodním partnerem Matthew Boultonem pracovali na parním motoru, který byl daleko efektivnější než dřívější modely a vytvářel rovnoměrný kroužívý pohyb.**

Klíčovou podmínkou vzkvétající industrializace byla zlepšení v dopravě, umožňující levnější a rychlejší distribuci jak surovin, tak hotových výrobků. Od třicátých let 18. století se v Británii začal rozvíjet další způsob dopravy: parní železnice. Díky ní byla doprava spolehlivější a doba přepravy se zkrátila, a tím vzrostla celková kapacita. Další země začaly také stavět železnice. Nejhojněji byla tato doprava užívána v USA. Roku 1830 tam leželo pouze 120 km kolejí, ale již v roce 1890 bylo vybudováno 263 933 km. Lepší doprava snížila výrobcům cenu surovin a pro zákazníky znamenala levnější výrobky.

Firmy mohly prodávat na trzích, kde by dříve byly jejich výrobky ve srovnání s lokálními výrobci kvůli drahé dopravě neprodejné. To vedlo k podpoře regionální specializace a konkurence.

K **úsporám z rozsahu** dochází, když podnik zvětšuje rozsah nebo efektivitu. Jak se zvyšuje výroba, snižuje se cena za jednotku, protože fixní náklady se rozloží do většího množství. Úspory z rozsahu jsou nezbytné pro dlouhodobý úspěch. Jsou trvalejší než ekonomický náskok, jenž může zmizet s novými vynálezy, i než loajalita zákazníků (protože na trhu vždy existují noví zákazníci).

Dělba práce je rozdělení výrobního postupu na jednotlivé úkoly, z nichž každý je vykonáván jedním pracovníkem, který se na daný úkon specializuje.

B

Posledním důležitým předpokladem průmyslové revoluce byly instituce, tedy zařízení, kterými lidé svazují svět tak, aby dosáhli požadovaného výsledku. Instituce pokrývají celou řadu vztahů mezi ekonomickými činiteli, včetně politických systémů, právních kodexů a finančních ústavů.

V Británii vznikly pružné instituce, které podněcovaly růst produktivity a nesnažily se jen o přerozdělování příjmů. To vedlo k poklesu činností soustředících se na dobývání renty. Nejdříve vznikl soubor institucí upravujících činnost státu a práva. Koncem 17. století měl anglický parlament největší pravomoc ze všech zastupitelských orgánů v Evropě, což znamenalo, že země nebyla závislá na rozmarech absolutistického vládce. Anglické zvykové právo kladlo velký důraz na vlastnická práva, včetně práva užívat požitků z duševního vlastnictví.

A

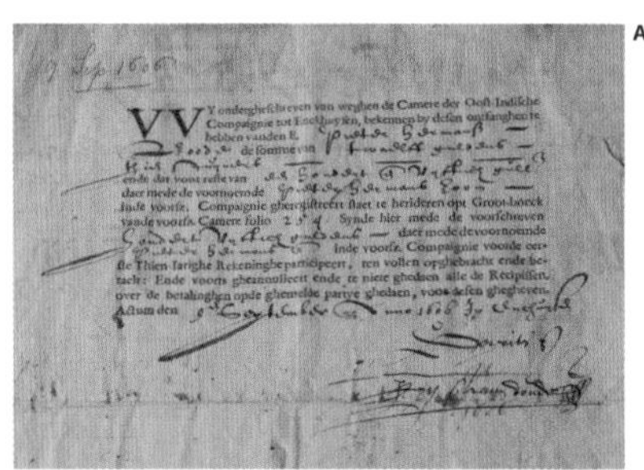

B

C

Dobýváním renty se nazývá taková ekonomická činnost, jejímž cílem je zvýšit důchod jednotlivce (nebo podniku), aniž by došlo k růstu celkového bohatství. Například když odvětví nebo společnost lobuje ve vládě za přijetí zákonů a směrnic, které omezují konkurenci, jedná se o snahu omezit volný trh – jedna zájmová skupina se dožaduje udržení svých zisků a tržního podílu, aniž by nabízela lepší služby nebo nižší ceny.

Zvykové (obyčejové) právo je základem právního systému Velké Británie, Britského společenství a USA. Mnoho historiků věří, že zvykové právo je ideální pro vytváření příznivých podmínek pro hospodářský růst, protože klade důraz na vlastnická práva jednotlivce a je založené na rozsudcích relativně nezávislých soudů, což zvyšuje jeho flexibilitu.

D

Další zásadní skupinou byly finanční instituce. V roce 1694 byla založena Banka Anglie, která se stala vládní bankou s právem vydávat dluhopisy. Následující rok začala s trvalým vydáváním bankovek, které nositeli zaručovaly na požádání vyplacení jejich nominální hodnoty ve zlatě.

A **Akcie (1606) holandské Východoindické společnosti (VOC) patří k jednomu z nejstarších certifikátů tohoto druhu.**
B **Bankovka (1699) v hodnotě 555 liber, vydaná Bankou Anglie.**
C **Před začátkem reforem v roce 1844 mohly soukromé banky v Británii vydávat vlastní bankovky – viz tato z Berwickovy banky z roku 1818.**
D **Amsterodamská burza (1611) soustředila obchodníky obchodující s akciemi a dluhopisy – nejprve Východoindické společnosti a později i dalších firem. Obchodovalo se zde až do jejího zboření v roce 1835.**

Dluhopisy jsou nástrojem, kterým si vlády nebo společnosti vypůjčují peníze. Držitel dluhopisu je věřitel, emitent je dlužníkem. „Kupon" je úrok, který dlužník slibuje vyplatit věřiteli, a zároveň vyznačuje datum, kdy je půjčka splatná.

A

Díky bankovkám se transakce zjednodušily, ovšem dalo se jim věřit, pouze když byli lidé přesvědčeni, že vydávající banka má dostatečné zásoby zlata na pokrytí všech svých bankovek v oběhu.

S pádem důvěry zákazníka padaly i banky.

Velmi důležité byly i akcie a obchodování s nimi. Akcie pomáhaly diverzifikovat riziko a rozšiřovaly základnu investorů. Akciové společnosti, které vznikaly v Anglii v polovině 16. století, prodávaly akcie (podíly) investorům. Investor pak vlastnil tak velkou část společnosti, jak velký byl jeho podíl na celkovém množství vydaných akcií. Zpočátku se s akciemi v Anglii obchodovalo v kavárnách; první formální burza vznikla v Amsterodamu v roce 1611 (Londýnská burza akcií oficiálně vznikla roku 1801).

Zatímco kapitalismus nabýval na síle, v Evropě začal „věk objevů“. Od konce 15. století a v průběhu dalších čtyř století evropské velmoci vybudovaly koloniální režimy v Americe, Africe, Oceánii a Asii. Prvotním motivem bylo hospodářství: zámořské kolonie byly zdroji surovin, například bavlny, cukru nebo čaje, které nebyly v Evropě k mání, a zároveň představovaly odbytiště pro evropské výrobky. První vlna evropského imperialismu přišla na americký kontinent. Španělský a portugalský koloniální režim byl soustředěný na těžbu – zejména na dobývání vzácných kovů.

Domorodému obyvatelstvu kontakt s Evropany způsobil velké škody, především v Americe. Domorodce decimovaly choroby, jako jsou neštovice nebo chřipka, protože vůči nim neměli žádnou přirozenou imunitu. V některých oblastech byla úmrtnost více než 90 %.

B

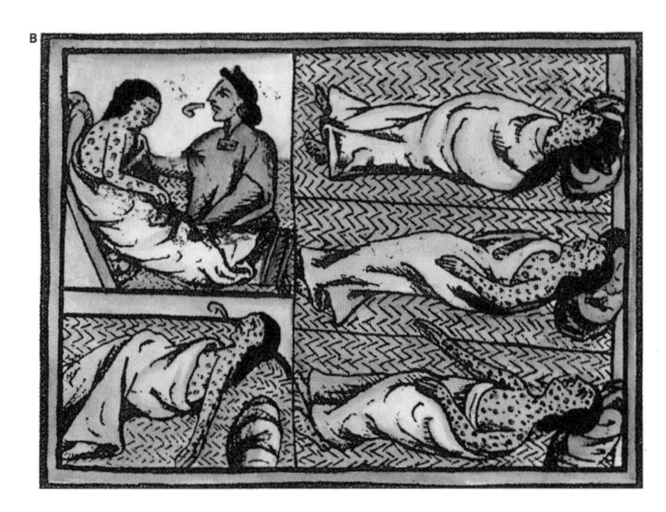

A **Tuto planisféru (1506) navrhl Giovanni Matteo Contarini, vyryl ji Francesco Rosselli. Je první mapou světa, kde jsou vyznačeny části amerického světadílu.**

B **Bernardino de Sahagún v 16. století ve *Florentském kodexu* popisuje své zkušenosti ze života ve Střední Americe. Je zde více než 2 000 ilustrací od domorodých umělců, včetně této kresby zobrazující epidemii neštovic, které do Ameriky přivezli španělští dobyvatelé.**

V polovině 18. století Španělé a Portugalci vládli ve velké části Jižní Ameriky, zatímco Británie, Francie a Španělsko soupeřily o dominanci v Severní Americe. V roce 1800 západní velmoci ovládaly 35 % pevniny; do roku 1914 se tento podíl zvýšil na 85 % – především kvůli imperiální expanzi do Afriky a Asie.

Zároveň s evropským imperialismem rostl transatlantický obchod s otroky.

V roce 1502 byli do Nového světa vysláni první otroci z Afriky, především pro práci v dolech a na plantážích. Před koncem 15. století z Afriky vyplouvalo ročně přibližně 2 000 otroků, v 18. století to bylo asi 20 tisíc osob za rok. Největší počty se přepravily v osmdesátých letech 18. století – přibližně 88 tisíc ročně. Vytvořil se

A

B

Charleſtown, July 24th, 1769.

TO BE SOLD,

On THURSDAY the third Day of AUGUST next,

A CARGO

OF

NINETY-FOUR

PRIME, HEALTHY

NEGROES,

CONSISTING OF

Thirty-nine MEN, Fifteen BOYS, Twenty-four WOMEN, and Sixteen GIRLS.

JUST ARRIVED,

In the Brigantine DEMBIA, *Francis Bare*, Maſter, from SIERRA-LEON, by

DAVID & JOHN DEAS.

C

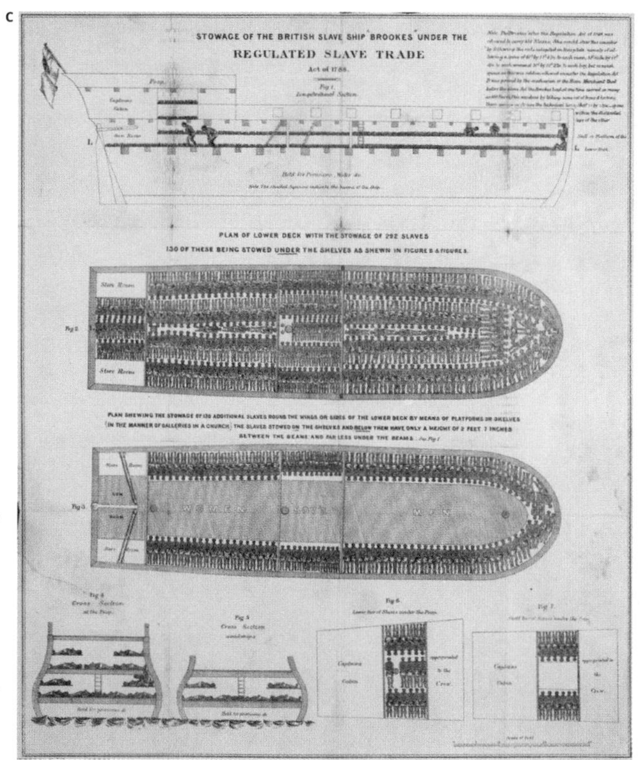

A **Jedna z nejznámějších politických satir Jamese Gillraye, *Švestkový pudink v ohrožení* (kol. 1818) zobrazuje francouzského císaře Napoleona Bonaparta a britského předsedu vlády Williama Pitta ml., jak si nenasytně rozdělují svět.**

B **Leták zvoucí na dražbu „vynikajících zdravých" otroků v Jižní Karolíně roku 1769.**

C **Tento obrázek zveřejnili stoupenci zrušení otroctví v roce 1788. Zobrazuje britskou otrokářskou loď Brookes a způsob, jak do ní bylo namačkáno na 400 otroků. Býval často reprodukován jako ilustrace otřesných podmínek panujících v transatlantickém trhu s otroky.**

„atlantický systém" a evropské lodě dělaly trojúhelníkové plavby: z Evropy do Afriky vezly hotové výrobky, zde naložily otroky a vezly je do Ameriky (kde se prodávali s dvoj- nebo trojnásobným ziskem) a odtud vezly do Evropy suroviny (především tabák, cukr a bavlnu) vyráběné africkými otroky.

Než bylo v Severní Americe otrokářství zrušeno, do otroctví padlo a bylo vysláno přes Atlantik 12 milionů Afričanů. Přibližně 4 miliony zemřely během plavby, protože podmínky cesty z Afriky do Ameriky byly brutální a nelidské. Úmrtnost na palubě lodí někdy dosahovala 50 %.

Evropské mocnosti se začaly více angažovat v Asii, protože se toužily zmocnit místních látek a koření. Vznikaly akciové společnosti zabývající se obchodem v Asii, především anglická a holandská Východoindická společnost (vznikly roku 1600, respektive 1602). Anglická Východoindická společnost se stala v podstatě samostatnou koloniální silou, která vládla nad velkou částí Indického poloostrova do roku 1858. Přestože k formální kolonizaci Číny a Japonska nedošlo, od roku 1839 používaly evropské mocnosti vojenskou hrozbu k podepisování řady „nerovných dohod“, jimiž se asijské země jednostranně otevíraly obchodu. Imperialismus byl nezbytnou, ne však dostačující podmínkou industrializace. Jak španělské, tak portugalské hospodářství stagnovalo, zatímco Británie plně využívala ekonomických výhod plynoucích ze zámořského obchodu.

Lidé začali o hospodářství smýšlet novým způsobem.

Ke konci 18. století vlády pohlížely na ekonomiku ve smyslu merkantilismu. Bohatství měřily zásobami zlata, kterých se dosahovalo pozitivní obchodní bilancí. Hospodářská strategie podporovala místní produkci a vydávala tarify (daně na dovoz nebo vývoz) na zahraniční zboží.

A

A ***Obraz Setkání Lorda Clivea s Mir Jafarem po bitvě u Palásí*** **(1757) od Francise Haymana zobrazuje situaci po klíčové bitvě roku 1757, kdy vítězství Východoindické společnosti položilo základy britské imperiální nadvlády nad Indickým poloostrovem.**

B Lícová strana skotského obchodního žetonu z Kirkcaldy (1797) zobrazuje Adama Smithe, který se zde roku 1723 narodil.

C Na rubu je zobrazen průmyslový výjev a titul jeho mistrovského díla ***Bohatství národů.***

Ke konci 18. století se od tohoto směru pomalu začalo upouštět. Dílo skotského ekonoma Adama Smithe vytvořilo základ školy klasické ekonomie, která tvrdila, že umožní-li se jednotlivcům svoboda jednání, bude z toho plynout užitek pro všechny.

Smith použil přirovnání o „neviditelné ruce trhu“. Přestože toto spojení ve svých spisech použil jen třikrát, stal se z něho velmi významný koncept. Spočívá v tom, že jednotlivé skutky lidí, i když je podnikají proto, aby prospěli sami sobě, mohou přinést blaho širšímu okruhu. Tato myšlenka se stala zásadním odůvodněním rozvoje svobodného kapitalismu s konečným přínosem pro celou společnost.

B

C

Merkantilismus byl vedoucí ekonomickou teorií Západu od 15. do poloviny 18. století. Zdůrazňoval, že státy by se měly obohacovat na úkor svých sousedů. Hlavním rysem tohoto hospodářství bylo dobývání renty.

Obchodní bilance je rozdíl mezi hodnotou zboží a služeb, které země vyveze, a těch, které doveze. Má-li země obchodní deficit (schodek), dováží zboží ve vyšší hodnotě, než je její vývoz. Opak se nazývá obchodní přebytek. Platební bilance je širší pojem, kam patří všechny finanční transakce mezi danou zemí a zbytkem světa.

Adam Smith (1723–1790) byl filozof a národohospodář (jak byl dříve vědní obor ekonomie nazýván). Roku 1776 vydal knihu *Bohatství národů*, první dílo moderní ekonomie.

Klíčovou teorií klasické školy byl „zákon trhů", s níž přišel francouzský ekonom Jean-Baptiste Say (1767–1832). Tento zákon říká, že „výrobek je vyroben teprve tehdy, když si vytvoří trh v celém rozsahu své hodnoty". Výrobce vytváří mzdy a příjem, tím vzrůstá bohatství a vytváří poptávku. Klasičtí ekonomové tvrdili, že vláda by měla intervenovat v co nejmenší míře. Tento liberální přístup navrhoval, že volný trh (tam, kde konečnou cenu výrobku určuje střet nabídky a poptávky a vláda příliš nezasahuje) vede k nejvyšším výnosům.

Důležitou roli hrál také utilitarismus. Podle tohoto myšlenkového proudu by užitek každé činnosti měl být posuzován podle jejího dopadu, a to především na celkový růst blahobytu. Přeneseno do ekonomie to znamenalo, že činnost je možné považovat za pozitivní, i když má negativní vliv na určitou část obyvatelstva.

Neoklasická ekonomická škola, která se rozvíjela v devadesátých letech 19. století, sdílela názor klasické školy, že trhy by měly pokud možno fungovat bez státních zásahů. Obě školy tvrdily, že ekonomičtí hráči se chovají racionálně; jsou motivovaní vlastním prospěchem k maximalizaci bohatství a uspokojování svých cílů nejefektivnější cestou (tento předpoklad později zpochybnila škola behaviorální ekonomie). Klasická a neoklasická ekonomie se rozcházela v jiných bodech: například klasičtí ekonomové měřili hodnotu produktu tím, kolik práce si vyžádala jeho výroba – tomu se říká pracovní teorie hodnoty.

A **Cestující namačkaní ve vlaku v Loni ve státě Uttarpradéš na severu Indie. Od roku 1947, kdy Indie získala nezávislost, se zde počet obyvatel téměř zčtyřnásobil. Tento rychlý růst byl umožněn zprůmyslněním Indie, protože rostoucí reálné příjmy, prosperita a rozvoj snížily úmrtnost – především v dětském věku.**

B **Ilustrace k románu H. G. Wellse *Válka světů* od Henrique Alvima Corręa z roku 1906. Kniha vznikla roku 1898 a těžila z obecného strachu a nejistoty z života ve zcela průmyslovém světě.**

A

Behaviorální škola nepředpokládá, že se ekonomičtí činitelé chovají racionálně, ale soustředí se na modelování skutečného lidského chování. Tvrdí, že lidé jsou emotivní bytosti závislé na heuristice (praktické metodě zjednodušující rozhodování) a rámování (reakce jsou závislé na předem vytvořených předsudcích), což ovlivňuje jejich ekonomické chování.

Externality jsou výsledky (zisky nebo ztráty), které si jejich původce nemůže přivlastnit. Mohou být negativní (např. znečištění způsobené továrnami) nebo pozitivní (např. když společnost vyvine novou technologii, která zvýší celkovou produktivitu). Mnoho externalit je negativních. Na ty se může zaměřit vláda a buď je regulovat, nebo ekonomické činitele zdanit tak, aby se vyrovnala hodnota těchto negativních vlivů.

Reálný příjem je příjem očištěný o inflaci a přesněji představuje množství zboží a služeb, které je za něj možné pořídit.

B

Neoklasická škola zdůrazňovala subjektivní teorii hodnoty, která říkala, že hodnota statku je relativní a závisí na preferencích kupce. Je důležité, že studiem externalit začali někteří neoklasičtí ekonomové zpochybňovat volný trh. Říkali, že za určitých situací je vládní intervence do kapitalistického systému nezbytná (např. během finanční krize).

Po roce 1820 se kapitalismus začal naplno rozvíjet i v západní Evropě a v Severní Americe. Světová populace prudce rostla, částečně díky průmyslové revoluci; průměrný věk uzavírání prvního manželství v tuto dobu klesl, což znamenalo, že lidé měli více dětí a porodnost se zvýšila. Růst reálných příjmů umožnil vstupovat do manželství a zakládat vlastní domácnost dříve. Kdykoli se před začátkem 19. století zvýšil počet obyvatel, reálné příjmy klesly, protože se zvýšila nabídka práce.

V polovině 19. století poprvé rostly mzdy stejně rychle jako počet obyvatel. Hrozba malthusiánské krize byla zažehnána.

Délka dožití neboli střední délka života se prudce zvýšila. V roce 1800 byl světový průměr kolem 30 let, v letech 2010 do 2013 byla střední délka života 71 let. To přispělo k ohromnému populačnímu nárůstu. V roce 1800 žila na Zemi asi miliarda lidí. Roku 2011 nás bylo 7 miliard a do roku 2024 světová populace dosáhne 8 miliard.

Během 19. století probíhal prudký technologický vývoj. Parní pohon se začal využívat i pro lodní dopravu, což umožnilo rychlejší a spolehlivější transoceánské plavby s vyšší kapacitou, než měly do té doby

A Dělnice při výstupní kontrole uhlíkových obloukových lamp v londýnské továrně Hammersmith Lamp and Valve Works roku 1903. Vynález elektrického osvětlení změnil hospodářství, protože umožnil továrnám a podnikům pracovat 24 hodin denně.

B Ford River Rouge Complex byl v Dearbornu v Michiganu dostavěn roku 1928. Zde se kompletovaly automobily Ford – od podvozků po celý vůz, který sám sjížděl na konci linky.

A

Malthusiánská krize nese jméno britského demografa Thomase Roberta Malthuse (1766–1834). Věřil, že nekontrolovaný růst populace povede ke zhoršování zdraví a příjmu jednotlivců a časem vyvolá krizi. Krizi by mohla odvrátit buď „pozitivní kontrola“ (hladomor, válka nebo epidemie) nebo „preventivní kontrola“ (antikoncepce nebo oddalování početí).

B

používané plachetnice. Byl objeven způsob výroby elektřiny a její proměny ve světlo a mechanickou energii. Elektřina se začala používat pro posílání telegrafických zpráv, a tak mohl vzniknout systém globální komunikace. Tento vývoj dopravy a komunikace přispěl k velkému rozmachu globalizace.

V roce 1862 byl vyroben první motor s vnitřním spalováním určený pro masový trh, roku 1886 byl vyroben první automobil. Elektrifikace a zdokonalení motorů umožnily masovou výrobu. V továrnách se začaly používat pohyblivé montážní linky, kde každý dělník vykonával stále stejný úkon. Tím vzrostla efektivita. V roce 1914 například vyrobila automobilka Ford v Michiganu jeden vůz Model T za 93 minut pracovního času. Tyto technologie snížily výrobní náklady, a tutíž klesaly ceny.

A

A Karel Marx se svými dcerami – Jenny, Larou a Eleanor – a svým přítelem, spoluautorem a spolupracovníkem, Bedřichem Engelsem (vlevo) v šedesátých letech 19. století. V této době žili v Anglii, kam uprchli před pruskými úřady.

B *Společnost národů – Kapitalisté všech zemí, spojte se!* (asi 1917–1920). Sovětská propaganda na tomto plakátu zobrazuje USA, Británii a Francii, státy podporující antikomunistickou stranu během občanské války v Rusku, jako nenasytné plutokraty.

C Tento sovětský plakát (1919) ilustruje výhody, které lidem přinesla Říjnová revoluce. Panely vlevo zobrazují předrevoluční období, dobu útlaku a vykořisťování dělníků, zatímco vpravo je zobrazen vzestup proletariátu.

Ačkoli průmyslová revoluce začala v Británii, na konci 19. století už nebyla „dílnou světa". Vyšší průmyslové produkce v roce 1900 již dosahovaly Německo i Spojené státy.

Úspěchy kapitalismu však ve společnosti nebyly rozděleny rovnoměrně. Pro mnoho lidí představovala průmyslová revoluce delší pracovní dobu v hlučných a nebezpečných továrnách a stěhování do špinavých a přelidněných měst. Raný socialismus, který vznikl ve dvacátých a třicátých letech 19. století, kritizoval neustálou honbu za ziskem a vyzýval k vytvoření rovnostářských společností se společným vlastnictvím zdrojů a zboží.

Karel Marx (1818–1883) a Bedřich Engels (1820–1895), socialističtí filozofové z Německa, odešli kvůli svému přesvědčení do exilu v Londýně, kde vytvořili své nejvýznamnější práce. Podle teorie marxismu byla společnost složená ze tříd, nikoli z jednotlivců, a hybnou silou dějin byly třídní rozpory. Kapitalismus byl jen jednou fází vývoje lidstva a ten měl být nahrazen socialistickou společností, v níž bylo hospodářství centrálně plánované státem. K dosažení tohoto cíle bylo nutné, aby dělnická třída svrhla kapitalismus socialistickou revolucí.

První světová válka (1914–1918) zničila optimistický názor, že světový kapitalismus vytvoří mír díky obchodním spojením mezi národy. Ve válce přišlo o život 11 milionů vojáků a 7 milionů civilistů. Asi nejdůležitějším dlouhodobým výsledkem konfliktu byla Říjnová revoluce v roce 1917, která vedla ke vzniku SSSR. Všechny výrobní prostředky tam vlastnil buď stát, nebo dělnická družstva. Přistoupilo se k centrálnímu plánování hospodářství a docházelo k rychlé, násilné industrializaci do té doby nerozvinuté a převážně zemědělské ekonomiky. Během prvních desetiletí rostla sovětská ekonomika ohromujícím tempem, ovšem v delším horizontu se objevily zásadní slabiny (viz Kapitola 2).

B

C

A

Mezitím v USA byla „bouřlivá dvacátá léta“ desetiletím prosperity a vzestupu akciových trhů.

Jenže 24. října 1929 došlo k obrovskému propadu cen akcií na newyorské burze, když po předchozím mnohaletém soustavném růstu a postupném nadhodnocování došlo ke ztrátě jejich hodnoty. Ekonomická bublina praskla. Finanční nestabilita se rozšířila do celého světa, hromadění prostředků bránilo investicím a došlo k celosvětovému zhroucení poptávky. Tyto události vedly ke vzniku světové

A Fotografie ilustrující ducha doby „bouřlivých dvacátých let“: davy lidí vycházejí z divadel na Times Square v New Yorku; polovina dvacátých let.

B Fotografie od Margaret Bourke-Whiteové: fronta před vývařovnou během záplav na řece Ohio v roce 1937, jedné z nejhorších katastrof během Velké hospodářské krize. Zachycuje rozkol mezi idealizovaným „americkým snem“ a realitou.

Ekonomická bublina vzniká, když cena nějakého statku výrazně předčí jeho skutečnou hodnotu. Obvykle k ní dochází v důsledku příliš sebevědomého a umělého nadhodnocování cen.

hospodářské krize, největší finanční krize 20. století. Vyvolala rozpad mezinárodního obchodu, světový pokles hospodářské výroby (v letech 1929–1932 světový HDP poklesl o 15 %) a masovou nezaměstnanost (jen v USA to bylo 30 milionů lidí). K oživení došlo až roku 1933. Kvůli hospodářské krizi se mnoho Evropanů začalo přidávat k politickým extremistům slibujícím radikální řešení. V Německu pomohla rozmachu nacistů, kteří převzali moc roku 1933. Po Velké hospodářské krizi následovala druhá světová válka (1939–1945), do níž bylo zapojeno 92 států světa a 121 milionů vojáků. V konfliktu přišlo o život přibližně 70 milionů lidí, více než dvě třetiny z toho byli civilisté.

B

A

B

Navzdory zkáze způsobené druhou světovou válkou následovalo po konfliktu dlouhé období hospodářského rozvoje, které trvalo do roku 1973. Během tohoto „zlatého věku kapitalismu" rostl v USA roční příjem na hlavu o 2,5 %, v západní Evropě o více než 4 % a v Japonsku o více než 8 %. Vlády přijaly keynesiánský způsob řízení, který klade důraz na finanční stabilitu a vysokou zaměstnanost. V mnoha zemích došlo ke znárodnění významného průmyslu – například železnic nebo elektráren – a vznikl štědrý systém sociálního zabezpečení. Institucionální základy mezinárodního poválečného hospodářství byly položeny na Brettonwoodské konferenci v červenci 1944 ve státě New Hampshire v USA. Tato konference vedla k založení Mezinárodního měnového fondu (MMF) a Světové banky.

Obnově západní Evropy pomáhal také americký Marshallův plán. Stabilita směnného kurzu byla docílena dohodou o ukotvení národních měn k americkému dolaru (např. 1 libra = 2,8 USD), kterému státy důvěřovaly, protože americké hospodářství bylo silné a americká měna byla směnitelná za zlato. V roce 1947 došlo k podpisu Všeobecné dohody o clech a obchodu (GATT), první v řadě jednání, jejichž cílem bylo odstranit obchodní překážky mezi signatáři. Počet zúčastněných států postupně vzrostl z 23 na 123 signatářů (v roce 1994).

Evropské státy se roku 1951 integrovaly do Evropského společenství uhlí a oceli. Patřilo sem západní Německo, Francie, Itálie, Nizozemsko, Belgie a Lucembursko. O šest let později uzavřely dohodu o volném obchodování – tzv. Římskou smlouvu – a vytvořily Evropské hospodářské společenství (Británie se přidala v roce 1973).

Keynesova ekonomie nese jméno britského ekonoma Johna Maynarda Keynese (1883–1946). Ten tvrdil, že nejdůležitější ekonomickou silou je agregátní poptávka. Nejvlivnější byl názor keynesiánské školy na úlohu vlády: měla by silně ovlivňovat makroekonomickou politiku (ovlivňující hospodářství jako celek), a nevěnovat se mikroekonomice (která se týká jednotlivců a firem). Především v době krize by měla vláda zvyšovat výdaje a snižovat daně, aby nedošlo k poklesu poptávky.

Světová banka je institucí, jejímž cílem je snižovat chudobu pomocí hmotných a nehmotných investic a vytvořit udržitelný ekonomický vývoj rozvojových zemí. Od roku 1947 poskytla granty a výhodné půjčky na více než 12 tisíc projektů.

Mezinárodní měnový fond byl založen s cílem sledovat a dohlížet na mezinárodní hospodářství a zajistit jeho stabilitu. Má 189 členů, z nichž každému je přidělena členská kvóta odvozená od jeho hospodářské síly a určující výši maximálních finančních závazků, počet hlasů a přístup k finančním zdrojům (v roce 2016 měl Fond více než 668 miliard USD). MMF poskytuje finanční záchranu zemím, které nejsou schopny dosáhnout vyrovnaného rozpočtu (ovšem za mnoha podmínek – především omezení veřejných výdajů). Tyto půjčky pomáhají zemím před finančním kolapsem.

Marshallův plán byl program v letech 1948–1952, v jehož rámci USA nabídly západní Evropě 13 mld. USD na hospodářskou rekonstrukci. Nesl jméno George Marshalla (1880–1959), tehdejšího amerického ministra zahraničí. Východní blok pod vlivem Sovětského svazu tuto pomoc odmítl.

C

A V roce 1923 byl evidentní dopad hyperinflace. V Německu došlo k prudké inflaci cen: vláda musela tisknout více bankovek, aby mohla kupovat cizí měny na splácení válečných reparací. Tyto bankovky byly v podstatě bezcenné.
B Kvůli propadu hodnoty německé marky bylo levnější tapetovat bankovkami než kupovat tapety. Mezinárodní organizace, např. MMF, spolupracují s ohroženými zeměmi, aby už k takovým finančním katastrofám nedocházelo.
C Roku 1944 se do hotelu Mount Washington sjeli delegáti ze 44 zemí na konferenci v Bretton Woods.

Dalším rysem tohoto období byl rozpad kolonialismu. Většina dřívějších kolonií evropských zemí získala nezávislost často až po násilných bojích (např. Vietnam nebo Alžírsko). To vedlo k novým výzvám, například v některých afrických zemích, ale obecně v nově nezávislých státech docházelo k ekonomickému růstu díky industrializaci a zavádění nových technologií. Významně rostly „tygří ekonomiky“ ve východní Asii – Jižní Korea, Hongkong, Singapur a Tchaj-wan. Jejich vlády totiž zavedly účinné kroky, které podporovaly stabilitu – např. zvýšení spolehlivosti bank. Také investovaly do obyvatelstva ve formě všeobecného základního školství, rozšiřovaly školy druhého a třetího stupně, a tím zvyšovaly kvalifikaci pracovní síly. V těchto zemích vlády spolupracovaly se soukromými firmami – např. při sdílení informací – a dotovaly některá průmyslová odvětví (např. výrobu oděvů, plastů, elektroniky a automobilů). Proto začaly tyto země rychle růst – na základě vývozu hotových výrobků do celého světa.

Poválečný boom se zastavil na začátku sedmdesátých let. V roce 1971 USA zrušily směnitelnost dolaru za zlato, tudíž poklesla celosvětová důvěra v tuto měnu. Země přestaly směnné kurzy svých měn kotvit k dolaru, což zvýšilo pravděpodobnost nestability „plovoucích“ měn v závislosti na poptávce.

A

B

A **Ranní fronty před čerpací stanicí v Oregonu v roce 1973 během první ropné krize. Palivo se nedostávalo na všechny, každé vozidlo obdrželo maximálně 5 galonů.**

B **V některých státech se palivo prodávalo na základě poznávací značky. SPZ končící na liché číslo nakupovaly v liché dny a naopak. V průběhu ropné krize musela celá řada čerpacích stanic zavřít.**

Krize se dostavila v roce 1973, když státy ze Středního východu produkující ropu vyhlásily embargo jako reakci na americkou pomoc Izraeli. Embargo trvalo šest měsíců a během této doby cena ropy za barel vzrostla ze tří na 12 dolarů. Druhá ropná krize přišla v roce 1979 jako reakce na revoluci v Íránu. Krize vyvolaly inflaci a celosvětový hospodářský pokles v letech 1974–1975 a 1980–1983. Toto bezprecedentní spojení hospodářského útlumu a rostoucích cen bylo nazváno „stagflací“; do té doby panovalo přesvědčení, že za krize ceny spíše klesají.

A

Od konce sedmdesátých do devadesátých let 20. století mnoho zemí – především Velká Británie a USA – přijalo řadu neoliberálních ekonomických reforem. Neoliberalismus snižoval úlohu vlády v hospodářství a posiloval soukromý sektor. Přestože byly reformy v každé zemi jiné, obvykle k nim patřila privatizace státních podniků, deregulace a snížení daní bohatým. Došlo ke snížení sociální podpory s cílem podpořit mezi chudšími obyvateli snahu o získání lepší práce.

Tyto reformy se zakládaly na ekonomické teorii nabídky. Tato teorie zastává názor, že klíčovým faktorem hospodářského růstu je snížit bariéry na straně výroby zboží a služeb, čímž vznikne nabídka a sníží se ceny. Výsledkem by byl rozvoj podnikání, vyšší příjmy elity, které by se postupně přerozdělily do zbytku společnosti díky vyšším výdajům. Mnohé z těchto předpokladů se nepotvrdily. Tato politika vedla k ekonomickému růstu a větší prosperitě části populace, nedocházelo ale k rovnoměrné dělbě bohatství a dlouhodobě přispívalo k finanční nestabilitě (viz Kapitola 3).

Události v Japonsku ilustrují dočasnost úspěchů dosažených v osmdesátých letech. V tomto desetiletí japonské hospodářství vzkvétalo a hodnota akcií a nemovitostí prudce rostla (ve vrcholném období se tvrdilo, že 340 hektarů císařských pozemků v Tokiu mělo větší hodnotu než veškeré nemovitosti v Kalifornii). Přesto se rozkvět nepodařilo přenést do další dekády – ta se v Japonsku nazývá „ztraceným desetiletím“ –, kdy se propadly ceny, HDP i reálné mzdy.

Za začátek konce studené války se považuje pád Berlínské zdi roku 1898. O dva roky později došlo k rozpadu Sovětského svazu.

Začal se rozpadat socialistický blok a mnoho socialistických ekonomik přecházelo ke kapitalistickému zřízení.

B

A Agentura Saatchi & Saatchi navrhla pro Konzervativní stranu plakát do všeobecných voleb v roce 1979. Po vítězství toryů nad labouristy se Margaret Thatcherová stala předsedkyní vlády a ve funkci setrvala 11 let. Její neoliberální politika vyvolala ve Velké Británii zásadní změny.

B Pád Berlínské zdi byl oznámen 9. 11. 1989. Zeď symbolizovala bariéru mezi kapitalistickým Západem a komunistickým Východem a její zničení předznamenalo konec studené války a rozpad východního bloku.

Neoliberalismus vycházel z liberalismu 19. století. Obecně kladl důraz na politiku volného trhu a věřil, že svobodný trh je nejlepší cestou k prosperitě.

V mnoha zemích se jednalo o traumatický proces s vysokou mírou nezaměstnanosti a inflace. Velmi trpělo Rusko: během 7 let došlo ke 40% poklesu HDP. Čína, kde komunistický režim vládl od roku 1949, teoreticky zůstala socialistickou zemí, ačkoli se od roku 1978 postupně otevírala i obchodům s kapitalistickými zeměmi.

V průběhu devadesátých let pokračovala globalizace a ekonomická integrace. V roce 1993 byla založena Evropská unie (EU), čímž vznikl společný trh s volným pohybem zboží, služeb, osob a financí. EU se postupně rozrůstala přijímáním bývalých komunistických zemí a v roce 2004 měla 28 členů (19 z nich používá společnou měnu – euro). Členská základna se o jednoho člena zmenší, na základě referenda z roku 2016 dojde k Brexitu – vystoupení Velké Británie z EU.

V roce 1994 Severoamerická dohoda o volném obchodu snížila obchodní bariéry mezi Kanadou, Mexikem a USA. Následující rok Světová obchodní organizace (WTO) nahradila smlouvu GATT. WTO má širší záběr a možnost vyšších sankcí než její předchůdce a působí jako mezinárodní fórum pro uzavírání obchodních dohod a řešení sporů. Poté co se k WTO roku 2016 připojil Afghánistán jako 164. člen, organizace reprezentuje 98 % světového obchodu.

A

A Na zvláštním zasedání Evropské rady v Bruselu 29. 10. 1993 delegáti vyslovovali svůj souhlas s implementací Maastrichtské dohody (1992), která položila základy pro vytvoření EU.

B Během ministerské konference WTO v Seattlu roku 1999 se shromáždily desetitisíce protestujících. Jednání byla zastíněna rozsahem a agresivitou demonstrací proti globalizaci.

B

Zároveň s integrací světového hospodářství došlo k revoluci v komunikaci – díky internetu, který podnítil ještě silnější globalizaci.

Na konci devadesátých let byly národní ekonomiky v těsném propojení, což znamenalo, že i finanční krize se můžou velmi rychle šířit. Toto riziko se projevilo v asijské finanční krizi v roce 1997. Do té doby úspěšné ekonomiky Jižní Koreje, Thajska, Malajsie a Indonésie se zhroutily, když investoři ztratili důvěru v nadhodnocené trhy a lokální měny. MMF vypomohl stabilizační půjčkou ve výši 40 mld. USD, ale přesto se krize rozšířila do celé východní Asie. To vyvolalo finanční krizi v Rusku, Brazílii a Argentině roku 1998. V reakci na tento vývoj posílilo antiglobalizační hnutí symbolizované protesty roku 1999 v americkém Seattlu během jednání Světové obchodní organizace.

A

Rostoucí všudypřítomnost internetu způsobila, že hodnota akcií IT firem začala po roce 1995 prudce růst. Mezi lety 1991 a 2001 tato „dot-com" bublina praskla a akcie za 6 bilionů dolarů zmizely. Akcie sociální sítě theglobe.com dokazují, jak dramatický tento pokles byl. Když se její akcie 13. 11. 1998 začaly prodávat, během jediného dne jejich hodnota vzrostla o více než 600 %, na 63,50 USD. V roce 2001 stály méně než jeden dolar a bylo možné je koupit i za 7 centů. Společnost ukončila činnost roku 2008.

Nové tisíciletí začalo recesí v USA a ve většině Evropy (Velká Británie byla výjimkou), ekonomické problémy setrvaly i v Japonsku.

A Pochod za zdraví, bydlení, práci a vzdělání v Londýně roku 2016. Demonstranti požadovali ukončení úsporných reforem Konzervativní strany.

B V roce 2012 se v Londýně sešly tisíce protestujících proti vládním škrtům. Někteří na sobě měli stylizované masky Guye Fawkese, ty se pak staly poznávacím znamením mnoha protestních skupin.

Kolem roku 2005 se vrátil optimismus a růst do většiny zemí světa. Rostlo přesvědčení, že se objevuje nová éra setrvalé stability. Ovšem finanční krize roku 2008 přinesla mrazivý obrat (viz Kapitola 3). I po deseti letech zůstává nejdůležitější silou ovlivňující současnou ekonomiku.

B

784 330
20 + 17 + 13 + 19 +
ーサイ 4523 旭硝子 5201 INAXトステム 5938 NEC 6701
2520 801 1684 498
20 + 3 + 64 + 32 +
OLC 4661 太平洋セメ 5233 タクマ 6013 富士通 6702
7350 170 790 418
70 + 7 + 8 + 33 +
ジテレビ 4676 TOTO 5332 アマダ 6113 沖電
500 423 373
2 + 16 + 20 +
富士写 4901 新日鉄 5401 森精機 6141
3960 149 634
0 + 6 + 25
ニカ 4902 JFEHD 島精機 6222
889 2640
9 + 21 - 15 +
生堂 4911 日軽金 5701 コマツ 6301
1453 93 430
17 + 2 +
イオン 4912 三井金
511
1 +
日石

2. Jak funguje moderní kapitalismus

A

Kapitalismus funguje. Důkazem je skutečnost, že čtete tuto knihu.

To, že jste si tuto knihu koupili v obchodě, nechali si ji doručit nebo ji čtete elektronicky, představuje vyvrcholení řady komplexních a propojených procesů, do nichž jsou zapojeny tisíce jednotlivců. A v každé fázi výroby každého jednotlivce motivoval jeho vlastní ekonomický zájem.

Toto není nic nového. V roce 1958 americký obchodník Leonard E. Read na příkladu tužky ukázal, že výroba každého jednoduchého předmětu je výsledkem práce rozsáhlé sítě jednotlivců. Nespojuje je touha po spolupráci, ale honba za ziskem. Ovšem během činností vedoucích k vlastnímu obohacení jednotlivci vytvářejí obrovské hodnoty pro zákazníky. Tím, že se snaží maximalizovat zisky a zvyšovat produktivitu, se zboží vyrábí lépe, levněji a efektivněji. To je projev „neviditelné ruky" ekonoma Adama Smithe (viz Kapitola 1). Tato tržní síla je nepozorovatelná, a přesto velmi mocná – a dostane-li příležitost, navede poptávku a nabídku zboží tak, aby prospívaly celé společnosti.

Nemá význam idealizovat si doby dávno minulé. Před začátkem 19. století, a tedy před zásahy neviditelné ruky kapitalismu, byl život většiny lidí drsný, jednotvárný a krátký.

Po staletí se velká většina lidí snažila zajistit si holé živobytí zemědělskou činností. Téměř všichni farmáři bojovali o přežití, od smrti hladem je dělila jen jedna neúspěšná úroda. Ekonomický růst byl téměř neznatelný. Od roku 1000 do 1820 rostl příjem na hlavu jen o 0,13 % za rok. Lidé se netěšili ani z pevného zdraví, ani z dlouhého života. Každé třetí dítě zemřelo před prvními narozeninami, průměrná délka života byla okolo 30 let.

Leonard E. Read (1898–1983) byl jedním z nejvlivnějších propagátorů liberální politiky 20. století. Byl plodným spisovatelem a jeho nejznámějším dílem je esej „Já, tužka" (1958).

Příjem na hlavu udává průměrný příjem v dané oblasti (obvykle v jedné zemi). Vypočítá se jako celkový příjem dělený celkovým počtem obyvatel a určuje, jak bohatá je daná oblast.

A ***Sběračky klasů*** **(1857) od Jeana-Françoise Milleta zobrazují tři venkovské ženy při sběru klásků zbylých po sklizni. V mnoha částech Evropy bylo toto paběrkování hlavním způsobem, jak si chudí lidé vylepšovali jídelníček.**

B ***Návrat z mokřin*** **(okolo 1886) od Petera Henryho Emersona zobrazuje zemědělce z mokřin v okolí Norfolku ve východní Anglii. Emersonovy fotografie dokumentují venkovský život 19. století.**

Nyní platí, že dítě, které se dnes narodí kdekoli na světě, se v průměru dožije více než 70 let. Lidé teď žijí delší a bohatší život než kdykoli v historii. Skotský ekonom Sir Angus Deaton tento posun nazval „velkým únikem“. Tvrdí, že od roku 1945 „rychlý ekonomický rozvoj v mnoha zemích pomohl stovkám milionů lidí uniknout životu v bídě“.

Za tento dramatický posun, který v historii lidstva nemá obdoby, vděčíme především silám uvolněným kapitalismem. Počet dětských úmrtí na celém světě posledních 50 let každoročně klesá. V Číně a Indii, kde žije více než třetina světové populace, se dnes narozené děti mohou dožít 75, respektive 65 let. A situace se stále zlepšuje. Podle Světové zdravotnické organizace v roce 1990 každý rok zemřelo 12,6 milionů dětí mladších 5 let. V roce 2015 byl tento počet méně než poloviční – 5,9 milionu.

A **Kombajny dramaticky snížily dobu sklizně a potřebu lidské práce. Stroj automaticky seče a sbírá úrodu; čím má širší záběr, tím je sklizeň efektivnější.**

B **V kapitalistickém systému vede k inovacím konkurenční tlak. Ve skleněných silech firmy Volkswagen v parku Autostadt v německém Wolfsburgu je uloženo až 800 nových automobilů. Ke svému kupci se dopravují automatickým výtahem, takže nový majitel nasedá do auta, které má na tachometru nulu.**

Sir Angus Deaton (nar. 1945) získal v roce 2015 Nobelovu cenu za ekonomii a další rok mu byl udělen šlechtický titul. Ve své práci se věnuje chudobě, zdraví, nerovnosti a hospodářskému rozvoji.

A

B

Není žádné překvapení, že peníze přinášejí štěstí.

Podle údajů z roku 2017, které zveřejnila OSN ve své Zprávě o štěstí, existuje silná korelace mezi výškou HDP na hlavu a subjektivním pocitem spokojenosti v životě.

Kapitalismus podporuje inovace. Průmyslová revoluce započala v Británii v 18. století, když výrobci textilu začali investovat do postupů šetřících pracovní sílu, aby si snížili náklady a zvýšili příjem. Ve všech hospodářských odvětvích se začalo mechanizovat, tím se snížily náklady a ušetřil čas a zároveň se zvedl objem produkce. To pokračovalo po celé 19. a 20. století.

V průběhu posledního století bylo zemědělství stále efektivnější: mezi lety 1930 a 2000 zemědělská výroba USA vzrostla čtyřikrát. Za rostoucím výkonem stojí technologické inovace, které zvýšily množství vyrobených potravin a zároveň snížily potřebu lidské práce. Ještě v roce 1900 bylo potřeba 38 pracovních hodin na zasetí, vypěstování a sklizení jednoho akru obilí. Dnes se to zvládne za méně než tři hodiny. Technologie osvobodily miliardy lidí od těžké manuální práce. V roce 2000 byl průměrný HDP na hlavu 30krát vyšší než v roce 1800, kdy dosahoval 200 USD.

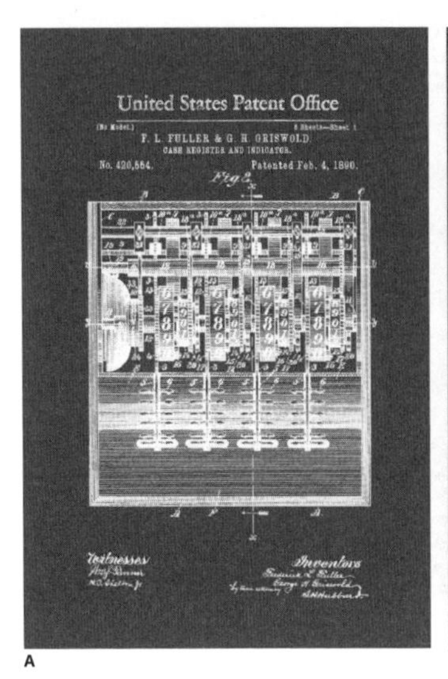

A

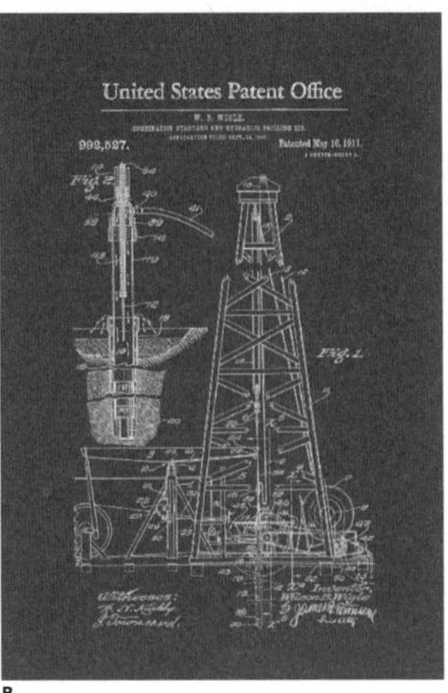

B

A Investice do inovací mohou být velice lukrativní a investoři se chrání aplikací patentů, které jim zaručují výhradní práva na výsledky jejich práce. Tento patent (1890) byl vydán na kasu, kterou navrhl Frederick L. Fuller.

B Tento patent vydal Americký patentový úřad roku 1911. Jeho předmětem je vrtná souprava kombinující standardní a hydraulický pohon, autorem je Wilson B. Wigle.

C I postupné inovace mohou být velmi výnosné: první generace iPhonu firmy Apple se začala prodávat v roce 2007, roku 2016 se prodal miliardtý iPhone.

Prvním významným ekonomem, který si všiml, jakou úlohu mají technologické změny na hospodářský růst, nebyl nikdo jiný než Karel Marx (viz Kapitola 1). Méně prorocké se však projevilo jeho tvrzení, že kapitalismus spěje k zániku.

V polovině 20. století ekonom Josef Schumpeter tvrdil, že základem dynamického kapitalismu jsou nové technologie. Přestože další faktory – pracovní síla a finance – jsou také důležité, bylo by neuvážené popírat význam inovací. Schumpeter použil metaforu „vichřice kreativní zkázy“, kterou si vypůjčil od marxistických ekonomů, aby vysvětlil, že hospodářství je stále pod vlivem změn, jež jsou vyvolány inovacemi. Tento proces přirozeně vede k zastarávání technologií, což může být traumatizující pro dělníky, kteří kvůli tomu přicházejí o práci. Avšak z dlouhodobého hlediska kreativní zkáza zvyšuje produktivitu. Ztráta pracovního místa je součástí moderního kapitalismu, ne vždy však musí jít o trvalou nezaměstnanost: například v období 1999 a 2009 v USA zaniklo v soukromém sektoru 338,9 milionů pracovních míst a ve stejnou dobu vzniklo 337,5 milionů nových.

Joseph Schumpeter (1883–1950) se narodil na Moravě, v tehdejším Rakousku-Uhersku, od roku 1932 však žil v USA. Tvrdil, že kapitalismus se vyvíjí díky inovacím, jež vytvářejí pro jejich autory dočasný monopol a období vysokých příjmů (podnikatelský zisk). Schumpeter pochyboval o budoucnosti kapitalismu kvůli rostoucí byrokracii, která omezí podnikavost jednotlivců. Tento skepticismus se ukázal jako mylný. Neo-schumpeterovští ekonomové jeho teorie upravili tak, že zohledňují inovace v širším kontextu (zahrnujícím firmy, vládu a vzdělávání), a vytvořili přístup zvaný Národní inovační systém.

Vynálezy, díky nimž jsou naše životy delší, bezpečnější, jednodušší a zábavnější, nevznikly z čistého altruismu. Inovátoři jako např. Elon Musk (nar. 1971) nebo Steve Jobs (1955–2011) v kapitalistickém systému v USA investovali do nových objevů, protože si byli poměrně jisti, že se jim finance vrátí v podobě zisku. Proto mají inovace zelenou.

c

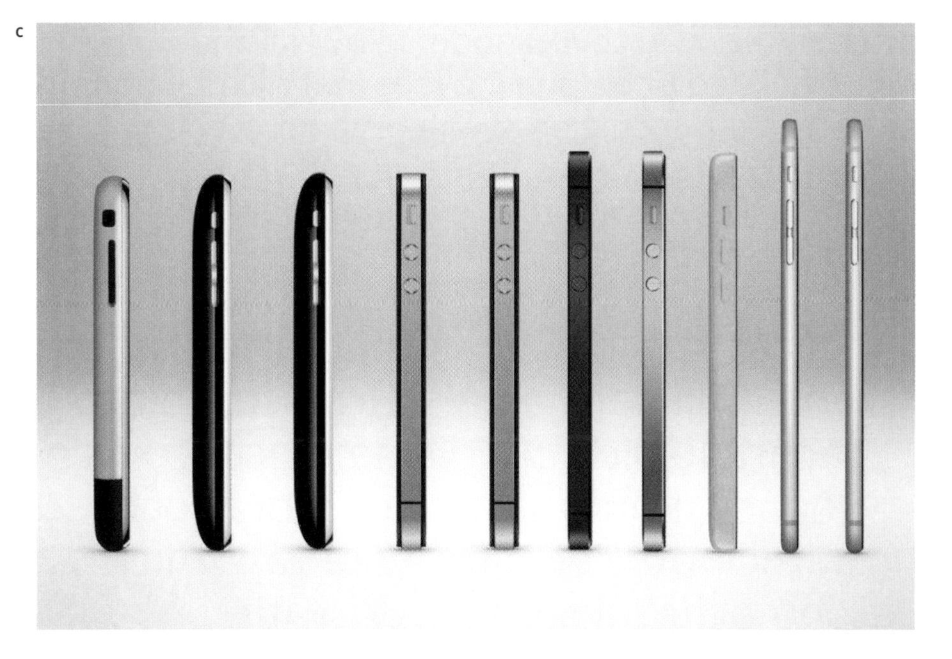

A

B

Patentové zákony a předpisy dávají jednotlivci nebo organizaci výhradní práva na jejich vynálezy. Brání konkurenci, aby vynález používala nebo z něj profitovala dříve, než k tomu dostane svolení.

Liberalismus je politicko-filozofický směr, jehož vliv začal vzrůstat v osvícenské éře. Soustředí se na ochranu zájmů jednotlivce. V ekonomickém smyslu se liberalismus spojuje s podporou soukromého vlastnictví, volného trhu a konkurence.

To všechno díky patentovým zákonům a předpisům, které jsou součástí institucionální struktury kapitalistického systému. Důležité nejsou jen převratné „makro-vynálezy“, jakými jsou například mikroprocesor, spalovací motor nebo žárovka. „Mikro-vynálezy“ zlepšují stávající technologie, aby byly produktivnější a efektivnější, a zároveň jsou klíčovou podmínkou dalšího pokroku. Tyto postupné inovace (například iPhone se neustále zlepšuje od svého prvního uvedení v roce 2007 a současný model je pětkrát výkonnější než první) zajišťují, že produktivita setrvale narůstá.

S postupujícím 21. stoletím se posunují další a další hranice v bio-technologiích, medicíně, počítačových vědách, komunikacích a v bezpočtu dalších oborech, protože zákazníci jsou ochotni si za ně připlatit.

Liberalismus zdůrazňuje práva jednotlivců. V politice bývá spojován s rozšiřováním konstitučních demokracií a vlády práva. Už neplatí, že šlechta a král stojí nad ostatními kvůli svému původu. V ekonomickém pojetí liberalismus zajišťuje lidem, že mohou volně zacházet se svým majetkem a věnovat se jakékoli ekonomické činnosti – tudíž vede směrem ke kapitalistickému systému. Přestože se ozývají názory, že i prospěchářsky autokratické systémy mohou prospívat veřejným zájmům, pro hospodářství je vhodnější demokracie. Podle studie z univerzity MIT při přechodu z nedemokratického k demokratickému režimu se v dlouhodobém horizontu zvýší HDP na hlavu o 20 %. Tato studie také zjistila, že globální posun směrem k demokracii během posledních padesáti let vedl k 6% nárůstu celosvětového HDP.

A Společnost Virgin Galactic, založená roku 2004, vznikla s cílem nabízet pravidelné lety do vesmíru. Tato budova v Novém Mexiku v USA by měla v budoucnu sloužit jako terminál, hangár a odpalovací rampa.
B SpaceShipTwo (uprostřed) je osobní raketa navržená pro použití na suborbitálních vesmírných letech. Odpaluje se z dvoutrupého mateřského letounu WhiteKnightTwo (vpravo).

C Cryonics Institute byl založen roku 1976 v Michiganu v USA. Zde se do kapalného dusíku ukládají těla zemřelých zájemců. Tito lidé doufají, že v budoucnosti bude objevena technologie, jak je znovu oživit.
D Portréty několika klientů, jejichž těla leží zmražená v Cryonics Institutu. Zatím je zde uloženo více než 150 „lidí“.

Konstituční demokracií nazýváme zemi, kde se konají svobodné volby mezi různými politickými stranami. Tento systém zaštiťuje soubor zákonů, kterým jsou zaručeny pravomoci vlády a práva občanů. Takovou konstitucí – ústavou – může být formální psaný dokument (např. v USA) nebo nepsaný soubor zákonů a zvyků (jako tomu je v Británii).

Prospěchářský autokrat se může začít chovat jako „další neviditelná ruka“, jakmile se dostane k moci – tvrdí americký ekonom Mancur Olson (1932–1998). Je to tím, že jeho egoistická touha získat dlouhodobý příjem povede ke krokům, kterými se snaží zvyšovat bohatství země, jíž vládne.

C

D

Demokracie bývají stabilnější a také méně zkorumpované, a proto podporují dlouhodobé investice z jiných zemí. Na rozdíl od socialistického centrálně plánovaného hospodářství se stát do podnikání příliš nevměšuje. Přesto není možné říct, že je jeho role okrajová. Institucionální ekonomie zdůrazňuje význam státních institucí pro fungování kapitalismu. Mimo jiné stát zajišťuje pořádek, chrání duševní vlastnictví, udržuje infrastrukturu a zahraniční politikou chrání domácí průmysl. Tržní hospodářství je z pohledu ekonomického růstu tím nejefektivnějším systémem.

V jistém smyslu vzestup USA na místo nejsilnější světové ekonomiky ilustruje triumfální úspěch liberalismu. Podle Světové banky bylo v roce 2016 HDP USA 18,6 bilionu dolarů, téměř o 2/3 více než měla Čína na druhé příčce (11,2 bilionu USD), která má téměř třikrát více obyvatel.

A **Americký prezident Ronald Reagan a britská předsedkyně vlády Margaret Thatcherová na trávníku před Bílým domem v roce 1985 venčí Luckyho, jednoho z prezidentských psů. Tito dva politici byli v osmdesátých letech hlavními propagátory neoliberalismu.**

B **V osmdesátých letech makléři obchodovali na Mezinárodní burze futures v Londýně osobně. Futures jsou finančním derivátem, kde se strany zavazují koupit nebo prodat komoditu za danou cenu v určený den v budoucnosti.**

A

B

Socialistické plánované ekonomiky byly zásadním aspektem marxistické filozofie, podle níž se měly vlády velmi aktivně podílet na plánování hospodářství. Veškerá ekonomická činnost měla být plánována centrálně s cílem prospět občanům a ne soukromým ziskovým subjektům.

V průběhu osmdesátých let minulého století rostl vliv neoliberální politiky. Vlády Ronalda Reagana v USA a Margaret Thatcherové ve Velké Británii agresivně podporovaly volný trh pomocí deregulací, privatizace a snižování daní. Tvrdily, že když se stát vměšuje do hospodářství, bývá z toho více škody než užitku. Začátkem devadesátých let se neoliberální politika rozšířila do celého světa.

To rozhodně přispělo k vyšším ziskům milionů lidí, ale finanční krize roku 2008 odhalila rizika nespoutaného neoliberalismu. Po krizi političtí vůdci začali s reformními kroky, aby hospodářství svých zemí vrátili stabilitu.

Institucionální ekonomie zdůrazňuje úlohu historických a sociálních vlivů na ekonomické chování jednotlivce. Zakladatelem této školy byl norsko-americký sociolog a ekonom Thorstein Veblen (1857–1929). Neo-institucionální ekonomie, která ovlivňovala hospodářství v osmdesátých letech, se soustředila méně na jednotlivce a více na dopad institucí na ekonomiku.

Duševní vlastnictví je právo jednotlivce nebo organizace nakládat s výsledkem své duševní činnosti, např. unikátního konceptu, myšlenky nebo výtvoru. Dalším je zakázáno výsledek kopírovat nebo z něj profitovat.

Volný trh je systém, kde se hospodářství reguluje v podstatě samo, na rozdíl od stavu, kde hospodářské činnosti usměrňuje vláda. Zastánci volného trhu tvrdí, že by měly zmizet všechny překážky volnému obchodování.

Reagan a Thatcherová zaváděli neoliberální reformy inspirované nabídkovou ekonomikou. Spočívaly ve snižování daní a deregulaci trhu, což zvedlo nabídku zboží a služeb a snížilo ceny, a tím se snížila nezaměstnanost.

Není však nutné vylít miminko kapitalismu i s neoliberální vaničkou. Alternativa je děsivější.

V roce 1917 vedla Říjnová socialistická revoluce ke vzniku SSSR. Jeho hospodářské zřízení bylo diametrálně odlišné od kapitalismu. Soukromé vlastnictví výrobních prostředků (továren, strojů, statků atd.) bylo zrušeno. Výroba se neřídila ziskem, ale státní poptávkou. Zpočátku si „nová ekonomická politika“ udržela některé prvky kapitalismu a volného trhu (ovšem pod státní kontrolou), ale od této politiky se v roce 1928 upustilo, když se sovětský režim pokusil hospodářství oživit 1. pětiletkou (1928–1932). Jednalo se o hlavní prvek Stalinovy hospodářské politiky „socialismu jedné země“, jejímž cílem bylo posílit Sovětský svaz zevnitř.

A **Propagační plakát od Viktora Govorkova (1936) hlásá: „Děkujeme milovanému Stalinovi za šťastné dětství.“**

B **Hladomor na Ukrajině v letech 1932–1933, během něhož zemřely miliony lidí, sovětské úřady vyvolaly účelově, aby tuto oblast těsněji spojily s centrální mocí.**

B

Stalin usiloval o co nejrychlejší industrializaci země, aby byla schopná ubránit se invazi ze zahraničí. Pětiletý plán vytyčil cíl zdvojnásobit národní produkt a ztrojnásobit investice. Všechny zdroje se soustředily na těžký průmysl: Stalin vyzval ke 110% navýšení těžby uhlí, 200% zvýšení ve výrobě železa a 335% zvýšení výroby elektrické energie. Továrny dostaly nereálné výrobní cíle, což znamenalo, že dané kvóty nebylo možné splnit. Zemědělství se kolektivizovalo; soukromé statky byly spojovány ve velké celky s úmyslem zvýšit produktivitu a umožnit dělníkům vystěhovat se z venkova. Pětiletka skončila částečným úspěchem – Sovětský svaz se industrializoval a přežil druhou světovou válku – ovšem ve všech dalších směrech měla velmi negativní dopad. Na práci byli zneužíváni vězni z pracovních táborů, organizátoři stávek a domnělí sabotéři se stříleli nebo posílali do gulagů (táborů nucených prací). Nejhorší dopad měla kolektivizace, která narušila zásobování potravinami a přispěla k hladomoru, který v letech 1932–1933 zabil přibližně sedm milionů lidí.

Josif Stalin (1878–1953) vedl Sovětský svaz po smrti jeho prvního vůdce Vladimíra I. Lenina (1870–1924). Ekonomická politika stalinismu se zaměřovala na odstranění veškerých aspektů kapitalismu.

Období nejrychlejšího hospodářského růstu Sovětský svaz zažíval po druhé světové válce. V letech 1950–1973 rostlo HDP na hlavu o 3,6 % ročně. Růst však byl založený na rostoucím přísunu kapitálu a surovin, což nebylo dlouhodobě udržitelné. V letech 1974–1984 hospodářství stagnovalo a po roce 1985 se začalo hroutit.

A

A Sovětské známky vydané v roce 1988 připomínají Gorbačovovu perestrojku. Tyto reformy byly součástí širší politiky glasnosti (otevřenosti), která měla vést k transparentnější vládě.

B Odvoz zbytků Stalinovy sochy z Budapešti, 1990. Po rozpadu Sovětského svazu a východního bloku získaly bývalé komunistické země politickou nezávislost a začaly zavádět reformy umožňující transformaci k tržní ekonomice a kapitalismu.

Michail Gorbačov (nar. 1931) byl posledním vůdcem Sovětského svazu. Když se v roce 1988 stal hlavou státu, započal s řadou politických a ekonomických reforem. Tyto reformy přispěly k rozpadu Sovětského svazu roku 1991.

Podle amerických ekonomů Williama Easterlyho (nar. 1957) a Stanleyho Fischera (nar. 1943) vykazovalo sovětské hospodářství v letech 1960–1989 nejhorší výsledky na celém světě, bez jakýchkoli známek zlepšování.

Zkostnatělá sovětská byrokracie, neúčinné finanční instituce a absence jakéhokoli domácího trhu tlumily růst a bránily inovacím. Státem nařizované výrobní cíle nevytvářely motivaci ke zlepšení, protože lepší výkony by vedly jen ke zvýšení cílů.

Bonusy za dobré hospodářské výsledky se vyplácely měsíčně, což vedlo ke krátkodobému myšlení.

Jediná odvětví, kde v Sovětském svazu docházelo k inovaci, byla armáda a kosmonautika – ovšem ani jedno z nich nijak nepřispívalo k ekonomickému rozvoji. Výsledkem bylo, že sovětská produktivita zaostávala za Západem a rozvíjejícími se ekonomikami východní Asie. Těžké břímě výdajů na zbrojení, prohloubené drahou a neúspěšnou intervencí v Afghánistánu (1979–1989), dále zhoršovalo už tak špatnou hospodářskou výkonnost.

Michail Gorbačov se pokusil v roce 1985 tuto situaci řešit liberalizací hospodářství v rámci politické a hospodářské přestavby (tzv. perestrojky). Obnovila se podpora soukromého podnikání a byl povolen vstup zahraničním investorům. Bylo však už pozdě.

B

Pro zákazníky bylo stále obtížnější sehnat i to nejzákladnější zboží – potraviny a oblečení; největší a nejlidnatější stát SSSR – Rusko – byl závislý na importu, jen tak dokázal přežít. Sovětský svaz se zhroutil roku 1991. Kapitalismus zároveň uvítaly všechny bývalé komunistické země ve východní a střední Evropě.

Komunistické státy nebyly schopné držet krok s kapitalistickými ekonomikami. Komunismus měl navíc dlouhodobě negativní vliv na štěstí a spokojenost svých obyvatel: subjektivní pocit štěstí v bývalých komunistických zemích bývá nízký i teď, i když se HDP na hlavu zvýšil.

A

Subjektivní pocit štěstí udává, jak lidé posuzují kvalitu svého života. Obvykle koreluje se zdravím a bohatství, ale významný vliv má také sociální a lokální prostředí.

A 105patrový hotel Rjugjong se tyčí nad severokorejským městem Pchjongjang. Jeho stavba začala v roce 1987, byla však kvůli nedostatku financí zastavena. V roce 2017 je dům stále nejvyšší neobydlenou budovou na světě.

B Tyto mapy z let 1992 a 2008 zobrazují světelné znečištění na Korejském poloostrově. Většina komunistické Severní Koreje se téměř nezměnila, což dokazuje absenci hospodářského vývoje. Oproti tomu Jižní Korea se mění rychle a oblasti v okolí Soulu a Inčchonu zažívají prudký rozvoj.

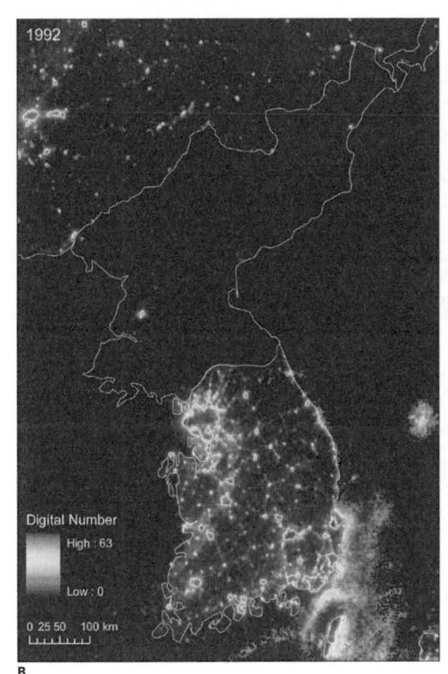

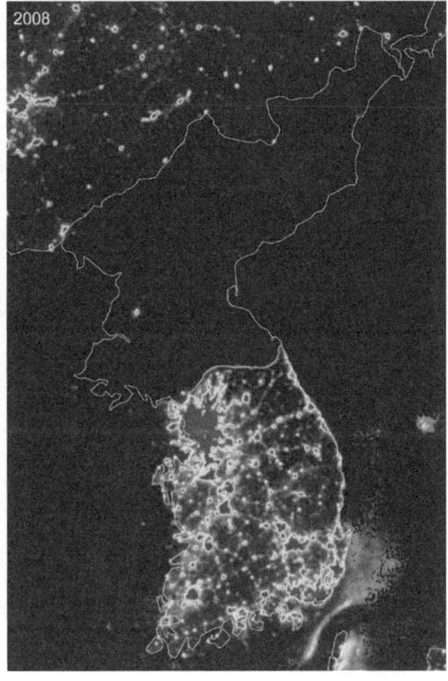

B

Korejský poloostrov je do očí bijící ilustrací výhod kapitalismu a nebezpečí komunismu. Po druhé světové válce se rozdělil na dva státy, a když komunistická Severní Korea podnikla roku 1950 invazi do Jižní Koreje, vojska OSN pod vedením USA přispěchala na ochranu jejích hranic. Od konce Korejské války v roce 1953 jdou oba státy naprosto rozdílnými cestami.

Během jediné generace v kapitalistickém režimu se Jižní Korea transformovala z jedné z nejchudších zemí světa v 11. nejsilnější ekonomiku. Sídlo zde mají obrovské elektronické firmy – například Samsung (15. největší společnost na světě). Jihokorejci žijí o deset let déle než jejich severní sousedé (v roce 2015 byla očekávaná délka života 82, respektive 70 let) a v roce 2016 byl na jihu 40krát vyšší HDP než na severu.

Oproti tomu komunistická Severní Korea je stále relativně chudá a nerozvinutá a mnoho Severokorejců hladoví. Od roku 1994 do 1998 zde kvůli hospodářské krizi zemřely více než tři miliony lidí. Přitom ve stejné době, Kim Čong-il (1941–2011), „Drahý vůdce“, utratil ročně 800 tisíc USD pouze za koňak. Hladomor byl odvrácen díky Světovému potravinovému programu OSN. Ironické je, že z této humanitární pomoci téměř polovinu poskytly kapitalistická Jižní Korea a USA.

Stejně vyzněly i osudy dalších dvou zemí, které se po roce 1945 vydaly každá na jinou cestu – východní a západní Německo. Východoněmecká ekonomika byla centrálně plánovaná, stejně jako v Sovětském svazu. V roce 1960 zde bylo zkolektivizováno 80 % zemědělské půdy a země byla vysoce zadlužená v zahraničí. Oproti tomu západní Německo prožívalo Wirtschaftswunder (ekonomický zázrak). Jeho „sociálně-tržní ekonomika“ zjemnila fungování volného trhu (např. odstraněním cenové kontroly a snížením daní) politikou ochraňující dělníky a poskytující štědré sociální jistoty a důchody. Když se oba státy v roce 1991 opět sjednotily, HDP na hlavu bylo v západním Německu dvakrát vyšší než na východě.

A

B

A Dlouhé fronty na základní zboží byly běžnou součástí východoněmeckého života, jak je vidět na této fotografii fronty před berlínským řeznictvím (asi 1986–1990).

B Na druhé straně zdi byl Západní Berlín, kde o potraviny nebyla nouze. Slavná kavárna Kranzler (zde v roce 1963) byla po zničení za druhé světové války znovu otevřena a symbolizovala bohatství výběru, kterého si užívali zdejší obyvatelé.

C Přístav v Šanghaji je kombinací mořského a říčního přístavu. V roce 2010 předběhl Singapur na žebříčku nejvytíženějších kontejnerových přístavů na světě. V roce 2015 se zde přeložilo více než 500 milionů tun nákladu.

c

I nyní, více než čtvrt století po znovusjednocení, je průměrná čistá hodnota majetku východoněmecké domácnosti o polovinu nižší, než je průměr v bývalém západním Německu. Dlouhodobý negativní dopad komunismu je zde stále zřetelný.

Mezinárodní trh je po staletí součástí globální ekonomiky. Ale během 20. století došlo k jeho zásadní přeměně. Ve spojení s rozvojem dopravy a komunikací podstatně vzrostl význam obchodování se vzdálenými zeměmi. Hlavním nástrojem tohoto celosvětového posunu je ocelový přepravní kontejner. Kontejnerizace umožnila zemím obchodovat se státy, kde by byl jejich export dříve nepřijatelně drahý kvůli vysokým nákladům za dopravu.

Kontejnerizace je proces, v němž je zboží převáženo v ocelových kontejnerech standardizovaných rozměrů (obvykle 6 nebo 12 metrů dlouhých), které se mechanicky přemisťují pomocí jeřábů a vysokozdvižných vozíků. Tyto kontejnery jsou „intermodální", to znamená, že jsou uzpůsobeny pro přepravu různými typy dopravních prostředků (loděmi, vlaky, nákladními vozy). Před kontejnerizací se zboží převáželo jako „volně ložený náklad", který se vždy musel nakládat a vykládat po částech a v docích manuálně překládat, což bylo náročné na čas a práci. Prodlužovala se tím doba přepravy, protože lodě musely v přístavech déle čekat. Kontejnerová přeprava se začala rozšiřovat v padesátých a šedesátých letech. Od roku 1968 se kapacita kontejnerových lodí zvýšila o 1 200 % a na lodích se dnes přepravuje 90 % nákladu. Není přehnané tvrdit, že bez kontejnerizace by nemohl moderní kapitalismus existovat.

A

Tím vznikl mezinárodní trh nabízející zákazníkům nižší ceny a také širší výběr. Především takové státy jako Čína nebo Indie reformovaly a liberalizovaly svou hospodářskou politiku a postupně se otevřely kapitalismu. Od té doby se v nich životní podmínky začaly rychle zlepšovat. Integrace trhů v mezinárodním měřítku přináší prospěch nám všem. Obchodní smlouvy zaručují, že se integrace mezi různými zeměmi stále prohlubuje. V roce 1993 vznikl v EU jednotný trh zaručující volný pohyb zboží, služeb, osob a peněz. O rok později došlo k podepsání Severoamerické smlouvy o volném obchodu mezi Mexikem, Kanadou a USA. Od této doby obchod mezi těmito třemi zeměmi vzrostl čtyřikrát.

V roce 2016 byl dokončen ambiciózní plán snížit překážky obchodu mezi 12 státy na Tichomořském pobřeží: Transpacifické partnerství (TPP). Navzdory tomu, že Světová banka vypočítala, že uvolněním by získaly všechny zúčastněné země, americký prezident Donald Trump (nar. 1946) 23. 1. 2017 Spojené státy z tohoto sdružení v rámci své strategie ochránit americký trh vyčlenil. Trump také plánuje vystoupit z Transatlantického obchodního a investičního partnerství, což je obdobná obchodní úmluva, o které se jedná s EU.

Tato politika je nebezpečně krátkozraká. Američtí výrobci v málo technicky vyspělých oborech (např. textil) tím dostanou dočasnou vzpruhu, ale pro vysoce technicky vyspělé obory (jako farmakologie nebo IT, v nichž mají USA velký náskok a velmi progresivní firmy) bude obtížnější proniknout do vzkvétajících ekonomik východní Asie a Jižní Ameriky. Navíc tím, že Trump zrušil postavení USA jakožto ekonomického lídra v Tichomořské oblasti, umožnil Číně získat více vlivu pro sebe.

Jednotný trh v Evropě vznikl 1. 1. 1993. Jeho cílem bylo podpořit integraci členských států EU a dalších zemí (Islandu, Lichtenštejnska, Norska a Švýcarska). V rámci jednotného trhu je umožněný volný pohyb zboží, kapitálu, služeb a osob.

Severoamerická dohoda o volném obchodu vznikla 1. 1. 1994 mezi USA, Mexikem a Kanadou. Jejím cílem bylo snížit ekonomické překážky a zjednodušit obchod mezi členskými zeměmi.

Jednání o **Transpacifickém partnerství** započala roku 2008. Poslední návrh byl podepsán v Aucklandu roku 2016. Signatáři byli: Austrálie, Brunej, Kanada, Chile, Japonsko, Malajsie, Mexiko, Nový Zéland, Peru, Singapur, USA a Vietnam. Součet jejich HDP tvoří přibližně 40 % celosvětového HDP. Nyní se jedná o alternativní obchodní dohodě, **Regionálním komplexním ekonomickém partnerství**, které nebude zahrnovat USA, Kanadu, Mexiko, Peru a Chile. Tato dohoda se však rozšíří o Kambodžu, Čínu, Indii, Indonésii, Laos, Myanmar, Filipíny, Jižní Koreu a Thajsko.

A **Globalizace je často spojována s „amerikanizací" nebo exportováním amerických značek a spotřebního zboží. Americké řetězce rychlého občerstvení, jako je McDonald's nebo KFC, jsou dnes běžným jevem kdekoli na světě, včetně Číny.**

B **Aktivisté na demonstraci v Santiagu, Chile, v roce 2016 při protestech proti TPP a činnosti společnosti Monsanto, která patří k hlavním výrobcům geneticky modifikovaných organismů.**

B

A

Cristina Fernández de Kirchner (nar. 1953) byla prezidentkou Argentiny od roku 2007 do 2015. Její levicová populistická politika zdůrazňovala obranu země a prohlubování občanských práv. Ekonomicky se snažila rozvíjet argentinskou ekonomiku podporou domácích výrobců.

Globalizace bývá často důvodem kritiky kapitalistického systému; kritici na Západě tvrdí, že globalizace ničí pracovní místa a omezuje růst. Skutečnost je však o něco složitější. Jednotlivé ekonomiky jsou schopné ovlivňovat vlastní osud. Globalizace nepomůže hospodářství, které není produktivní a efektivní. Kromě toho pod tlakem globalizace nejsou všechna odvětví. Pracovní činnosti, které lze automatizovat, se mohou přesunout do zahraničí, ale služby – ubytovávání, medicína nebo vzdělávání – z velké části zůstávají na místě, protože je není možné přemístit. Nejdůležitějším sektorem světového obchodu je výroba, ale ani v rámci tohoto sektoru nepodléhají globalizaci všechny podniky. Například většina výrobků Nike se vyrábí v asijských továrnách, ale design, marketing a distribuce zboží se stále musí provádět lokálně.

A Dělníci v thajské továrně v roce 1997. Výrobní linka produkuje tenisky Nike v továrně patřící Saha Union v Bangkoku.
B Zaměstnanci v textilce vyrábějící oděvy v provincii Bac Giang, nedaleko Hanoje (2015). Podle Světové banky by Vietnam z pohledu růstu HDP a exportu účastí v TPP získal nejvíc ze všech členských zemí.

Globalizace pomáhá zemím využít své silné stránky. Tato specializace snižuje ceny. Snaha politických vůdců bránit globalizaci může mít pro zákazníky velmi negativní dopad.

V roce 2009 argentinská prezidentka Cristina Fernández de Kirchner uvalila 50% daň na zboží dovážené ze zahraniční a vydala zákon vyžadující, aby výrobci elektroniky montovali svoje výrobky v Argentině. Společnost Apple se odmítla přizpůsobit a odešla ze země. Pak bylo levnější letět do USA a koupit si iPhone tam, než ho kupovat v Argentině. Zpočátku byly telefony vyráběné společnostmi, které se novým zákonem řídily, poměrně zastaralé a drahé. Kromě toho zákon podnítil vznik černého trhu s chytrými telefony. Ze 12 milionů telefonů, které se v roce 2016 v Argentině prodaly, 15 % pocházelo z černého trhu. V roce 2017 vláda restrikce na výrobky Apple zrušila, stále však platí 25% dovozní daň, která je činí o 25 % dražší než modely montované lokálně.

Představte si všechny věci, které vlastníte, a pak si odmyslete ty, které byly vyrobeny na jiném světadíle. Kolik by vám toho doma zbylo?

B

3. Kapitalismus v krizi

A

Ve snaze vydělat co nejrychleji maximum peněz bankéři a finančníci světovou ekonomiku nebezpečně destabilizovali.

Financializace je jedním z výrazů, které se spojují s posledními kapitolami dosavadních dějin kapitalismu. Označuje se jím proces, jímž může být cokoli převedeno do obchodovatelných finančních aktiv – zpravidla v podobě cenných papírů. Někteří tvrdí, že financializace nevytváří žádné skutečné hodnoty, ale je pouze snahou vydělat peníze na penězích. Nepřispívá k dlouhodobému finančnímu růstu; jejím výhradním cílem je obohatit finanční instituce.

Tento proces byl jednou z hlavních příčin celosvětové finanční krize v roce 2008, nejhorší krize od pádu newyorské burzy roku 1929 (viz Kapitola 1). Začátek 21. století se vyznačoval dlouhým obdobím nízkých úroků, což vedlo ke „konjunktuře půjčování", protože banky ochotně poskytovaly úvěry. V honbě za ziskem americké banky rozpůjčovaly miliardy dolarů na koupi nemovitostí rizikovým dlužníkům, i když věděly, že nejspíše půjčky nedokážou splatit včas. V roce 2006 bylo 20 % hypotečních úvěrů na osobní bydlení nebonitních.

Cenné papíry jsou, obecně řečeno, obchodovatelné finanční prostředky (přesná definice je v každé zemi jiná). Banky a investoři jim dávají přednost, protože jsou snadno převoditelné na hotovost. Rozlišujeme dva hlavní druhy: obligační (vydávané osobou, která potom má vůči investorovi dluh, který se obvykle splácí s úrokem – např. dluhopisy) a podílnické (vyjadřující podíl na majetku, např. akcie). Téměř cokoli může být převedeno do cenných papírů, v roce 1997 David Bowie vydal dluhopisy na deset let v hodnotě 55 milionů dolarů; investice byla zajištěna současnými a budoucími výdělky z katalogu zpěváka od roku 1990.

Globální finanční krize roku 2008 ohrozila řadu finančních institucí. Mnoho vlád své banky podpořilo, ale poklesu akciových trhů zabránit nemohly. Trhy se v roce 2009 začaly stabilizovat, ale dopad krize cítíme ještě teď. Jednalo se o nejzávažnější finanční krizi od třicátých let 20. století.

Dlužníci nižší bonity jsou osoby, které jsou považované za rizikové příjemce půjčky, protože je poměrně nepravděpodobné, že půjčku splatí včas. Proto se jim půjčuje za vyšší úrok a méně výhodných podmínek než jiným osobám.

B

A Jordan Belfort (vpravo) na svém motorovém člunu v Karibském moři v devadesátých letech – makléř, nazývaný pro svůj majetek a skandální osud „vlkem z Wall Street". Podvodným způsobem na svých klientech vydělal miliony dolarů a jeho život se stal předlohou pro film Martina Scorseseho z roku 2013.

B Davy shromážděné na Wall street v New Yorku po pádu akciového trhu roku 1929. Událost byla počátkem Velké hospodářské krize, která trvala 12 let.

A

A Na tabuli je zjevný masivní pokles světových finančních trhů po bankrotu banky Lehman Brothers v září 2008. Jednalo se o největší firmu, která kdy v historii USA zbankrotovala.

B Roku 2008 se masově rozšířila neschopnost dlužníků splácet své hypotéky. V průběhu krize nebonitních hypotečních úvěrů ztratily miliony lidí schopnost splácet a musely nemovitosti se ztrátou prodat.

Více než 80 % těchto nebonitních hypoték (aniž by to dlužníci věděli) banky zkombinovaly do obchodovatelných aktiv, tzv. zajištěných dluhových obligací (CDO). CDO jsou skupiny různých druhů úvěrů, bezpečných i rizikových. Jsou velice složitým finančním derivátem (jejich dokumentace obvykle dosahuje až 30 tisíc stran), takže je téměř nemožné při auditu zachovat náležitou opatrnost. Ratingové agentury je považovaly za velmi důvěryhodné a označily je nejvyšším hodnocením AAA. Investoři na celém světě začali CDO co nejrychleji kupovat, aniž by si byli vědomi toho, jak velký podíl v nich mají vysoce rizikové úvěry. Chránili se pomocí jiného derivátu, tzv. pojištění proti nesplacení úvěru (CDS), o němž si pojistitelé mysleli, že ho nebudou muset nikdy vyplatit.

Téměř všichni považovali CDO za spolehlivou investici, protože věřili v sílu amerického trhu s nemovitostmi. Ale nadměrné spoléhání na nemovitosti vyvolalo v ekonomice nebezpečnou nerovnováhu – ¾ HDP byly napojeny právě na trh s nemovitostmi. Mnoho majitelů domů v USA nalákaly nízké úroky, aby si brali další půjčky jištěné vlastním bydlením. Tyto půjčky před prasknutím bubliny dosáhly 975 miliard USD (7 % HDP), čímž se do systému dostaly další dluhy.

Hodnota amerických nemovitostí začala klesat a finančního systému se zmocnil chaos, když vyšlo najevo, že většina dluhů nebude nikdy splacena. V roce 2009 byla na 15 milionech domů v USA hypotéka vyšší, než byla jejich skutečná hodnota. Také se vyjevilo, že celý kolos stál na hliněných nohou a CDO byly bezcenné. Následovala panika, během níž se zhroutily dvě velké investiční banky, Bear Stearns a Lehman Brothers.

Ratingové agentury určují schopnost podniku nebo vlády splatit své dluhy. Rating, který různým finančním instrumentům přisuzují, ovlivňuje úrok, který z nich bude plynout. Čím nižší hodnocení, tím vyšší úroková míra. Investoři využívají ratingové agentury při rozhodování o tom, zda daný finanční produkt koupit či ne. Tomuto odvětví dominuje „velká trojka": Standard and Poor's, Moody's a Fitch Group (dohromady mají 95% podíl na trhu).

CDS – swap úvěrového selhání – je pojištění proti tomu, že dlužníci nebudou schopni splatit své dluhy. V případě nesplacení dostane věřitel zaplaceno od pojišťovatele, který se stane majitelem dluhu. CDS se obvykle jistí věřitel, ale koupit si je může kdokoli. Finanční instituce se takto mohou spekulativně pojistit i proti dluhům, které nevlastní – těm se říká „nahé" nebo „holé" CDS.

Finanční krize se rozšířila do celého světa. V roce 2008 rekordně poklesly ceny akcií v New Yorku (34 %), Paříži (43 %) i Šanghaji (65 %). MMF oznámil, že mezi lety 2007 a 2010 se hodnota aktiv původem z USA snížila o 2,7 bilionu dolarů. Kromě toho poklesla i důvěra v její ekonomiku, což znamenalo, že sem nikdo nechtěl investovat, a tím povzbudit růst. Následoval úbytek pracovních míst – na celém světě jich zmizelo 240 milionů. Miliony lidí přišly o střechu nad hlavou nebo zjistily, že jim zmizely veškeré úspory (spořitelé ve Velké Británii kvůli krizi přišli o 5 miliard liber). Od té doby začaly klesat nebo stagnovat skutečné příjmy v Japonsku, USA i Británii. Ovšem těm nejbohatším se podařilo se před krizí obrnit.

B

Velká většina finančních institucí považovala události roku 2008 za „černou labuť". Ve skutečnosti však byla krize nevyhnutelným vyústěním posledního vývoje ve světě finančnictví. Současné finanční postupy zvyšovaly pravděpodobnost neštěstí a zároveň ještě přispívaly k rozšiřování škod.

Finanční krize jsou nebezpečně známou součástí ekonomie. Objevovaly se už od raných dob kapitalismu, od Tulipánové horečky v roce 1637 po Jihomořskou bublinu z let 1719–1720. Banky a vlády už by se měly poučit.

Od roku 1970 do 2007 nastalo 124 systémových bankovních krizí ve 101 zemích a v 19 zemích k nim došlo opakovaně. V některých státech téměř zdomácněly (např. v Argentině byly čtyři). Jak k takovým krizím dochází? Krize roku 2008 byla projevem lehkovážnosti bankovního odvětví. Řada reforem inspirovaných neoliberalismem, která začala už v osmdesátých letech minulého století, pomohla deregulovat banky na celém světě a umožnila jim vytvářet stále riskantnější cesty vedoucí k tvorbě zisku. Tento proces se nejvýrazněji projevil v USA.

A

A ***Satira na tulipánovou horečku*** **(kol. 1640) od Jana Brueghela mladšího. Obraz zesměšňuje spekulativní obchodování se vzácnými tulipány a prodávající i zákazníky zobrazuje jako směšné nemyslící opice oblečené v lidských šatech.**

B **Argentina prožívala ekonomickou krizi od roku 1998 do 2001. V prosinci 2001 došlo k protestům, občanským bouřím a nepokojům kvůli nevšímavosti vlády vůči dlouhodobé finanční krizi.**

B

Do sedmdesátých let minulého století bylo americké bankovnictví velice regulované. Nejdůležitějším předpisem byl Glass-Steagallův zákon z roku 1933, který odděloval činnost obchodních a investičních bank. Pouze obchodní banky směly brát vklady a pouze investiční směly vydávat cenné papíry. Tím byli střadatelé chráněni, protože jejich banka nemohla vklady ohrozit investováním do cenných papírů. Gramm-Leach-Blileyho zákon z roku 1999 tuto překážku odstranil a umožnil konsolidaci různých druhů bank (a pojišťovacích makléřů) do jednotných finančních holdingů. To vedlo k rychlému slučování a skupování investičních bank obchodními bankami. Například Chase Manhattan se v roce 2000 spojila s bankou JP Morgan a banky jako Morgan Stanley a Goldman Sachs, což dříve byly investiční banky, začaly zároveň provádět činnost obchodních ústavů. Chyběl jakýkoli regulační dohled.

Černá labuť označuje událost, kterou není možné předpovídat a která se vymyká očekávané pravděpodobnosti zjištěné statistickými modely. Výraz pochází z historického přesvědčení, že černé labutě neexistují – což se ovšem ukázalo jako mylné, když Evropané tento druh objevili v Austrálii. Autorem teorie je Nassim Nicholas Taleb (nar. 1960), libanonsko-americký profesor financí a bývalý obchodník.

Tulipánová horečka
Tulipány se dostaly do Evropy z Asie na konci 16. století. Velmi oblíbené byly v Holandsku, kde jejich cena rychle rostla. Investoři obchodovali s futures (smlouvami, které držiteli zaručovaly právo nakoupit cibulky tulipánů za předem určenou cenu v předem stanoveném datu); některé smlouvy změnily majitele i desetkrát během jediného dne. Bublina praskla v únoru 1637, když poptávka po tulipánech znenadání opadla.

Jihomořská bublina
Jihomořská společnost byla založena roku 1711 v Londýně a získala monopolní postavení pro obchod s Jižní Amerikou. Její působení zde však bylo omezené, protože v této oblasti dominovalo Španělsko. V lednu 1720 vedení, aby zvýšilo cenu akcií Jihomořské společnosti, rozšířilo zvěsti, že jejich zisky rostou. To způsobilo prudký vzestup poptávky. Navzdory chabým výsledkům podniku se za šest měsíců hodnota jejich akcií zvedla ze 128 na 1 050 liber. Potom se projevilo, že cena je nesmírně přemrštěná, a v září masová snaha o jejich prodej cenu stlačila na 175 liber za akcii. Ani velký vědec Isaac Newton neodolal vábení rychlého zisku, a když bublina praskla, přišel o 20 000 liber (v dnešní hodnotě přibližně o 3 miliony liber).

A

Deregulace umožnila bankéřům upřednostnit zisky před bezpečností investorů a výsledky byly katastrofální.

Nejzřetelnější ilustrací rizik deregulace je ostrovní stát Island, kde žije přibližně 334 000 obyvatel. V roce 2001 tam byl deregulován finanční sektor. Islandské banky agresivně expandovaly do celého světa a nabízely střadatelům (především v Nizozemsku a Británii) vysoké úrokové míry. Jejich zadlužení v zahraničí dosáhlo 112 miliard USD (sedminásobek HDP Islandu). Když roku 2008 propukla krize, důvěra v islandské banky vzala za své a tři největší (Glitnir, Kaupthing a Landsbanki) se dostaly do nucené správy. Kolaps způsobil na Islandu chaos: burza poklesla o 90 % a nezaměstnanost se téměř ztrojnásobila. Výsledkem bylo, že Island musel jako první rozvinutá země za 30 let požádat o finanční podporu MMF. Hospodářství zde začalo opět růst až roku 2011.

Hodnota akciového podílu je základem teorie, že nejlepší způsob, jak hodnotit úspěch firmy, je ten na základě jejího výkonu na akciovém trhu, jak s ohledem na hodnotu za akcii, tak z pohledu vyplácených dividend.

A **Vývoj na „obchodním parketu" newyorské akciové burzy (shora dolů) ve čtyřicátých a sedmdesátých letech a roku 2011. Obchodování se stále více digitalizuje, což umožňuje provádět transakce téměř okamžitě.**

B **Protestující pálí figurínu islandského předsedy vlády Geira Haarda během demonstrací v Reykjavíku roku 2009. Kritizovali jeho postoj v průběhu finanční krize, Haarde krátcé poté odstoupil.**

Krátkozrakost je pro moderní bankovnictví příznačná. Většina finančních institucí je veřejně obchodovatelnými společnostmi, takže se zodpovídají více svým akcionářům než vkladatelům. Ve snaze zvyšovat hodnotu pro akcionáře se pouštějí do akcí, které jsou neslučitelné s dlouhodobou stabilitou. Vyplácení bonusů podporuje zaměstnance banky, aby podstupovali větší riziko, a tím maximalizovali svou odměnu. Ale riskování jednotlivců může vést k obrovským ztrátám celé banky.

B

A

A Protože na finančních trzích se dnes už obchoduje téměř jen elektronicky, stisk špatné klávesy může mít katastrofální následky. Na žádost o revizi chybného obchodu je velmi krátká doba, což znamená, že jej většinou není možné zrušit.

B Ceny akcií se promítají na obrazovce tokijské burzy 1. 8. 2014. Burza otevírala o 0,7 % níž než o den dříve, následkem hromadného výprodeje akcií na Wall Street, kvůli slabým výkonům eurozóny, argentinské dluhové krizi a dalším negativním zprávám.

K největší burzovní ztrátě v historii došlo v letech 2007–2008, když americký makléř Howie Hubler ochudil banku Morgan Stanley o 9 miliard USD investicemi do CDO a CDS. Často se stává, že bankéři riskují víc, než je zdrávo, protože jsou pod obrovským tlakem nezůstat stranou. Nové technologie umožňují kupovat a prodávat cenné papíry snadněji a rychleji, to také zvyšuje rizika. Běžné jsou chyby způsobené „tlustými prsty“. K těm dochází, když makléř omylem při uzavírání obchodu stiskne špatné číslo.

V roce 2001 jeden makléř u Lehman Brothers v Londýně vymazal z indexu FTSE 30 miliard liber tím, že při příkazu k prodeji akcií omylem přidal dvě nuly. Ve stejném roce obchodník na UBS v Tokiu prodal 610 tisíc akcií za 16 jenů, ačkoli cena měla být 420 tisíc jenů. Digitalizace způsobuje, že takové překlepy se velmi obtížně ruší. V posledních letech banky stále více používají automatizaci a vkládají důvěru do vysokofrekvenčního obchodování, což způsobuje vlastní potenciální nestabilitu, tzv. „bleskové propady". Jedná se o rychlé krátkodobé pády v hodnotě cenných papírů, kde je možné vmžiku přijít o miliardy. Například 6. května 2010 americké burzy za pouhých 20 minut klesly o 5 %.

FTSE je akciový index sledující hodnotu 100 největších společností, které se obchodují na londýnské burze z pohledu tržní kapitalizace (hodnoty jejich akcií). Začal se počítat v roce 1984 – počáteční hodnota byla 1 000. Nejvyšší hodnoty zatím dosáhl 17. 5. 2017: 7460.

Vysokofrekvenční obchodování používá k rychlému nákupu a prodeji cenných papírů algoritmy (algoboty) a další techniky s cílem zachytit v proměnlivém prostředí prchavou výhodu. Zkrácení časové prodlevy má takovou hodnotu, že v roce 2010 Spread Networks umístil nový kabel z optických vláken mezi Chicago a New York. Spojení stálo 300 milionů dolarů, časová úspora je 3 milisekundy.

B

Po roce 2008 většina vlád dala přednost zachraňování bank, místo, aby je potrestala nebo zavedla radikální reformy. Vlády bankám pomohly z finančních těžkostí, dluhy se odepsaly nebo je odkoupil stát. Americká vláda věnovala 700 miliard dolarů na stabilizaci bank v rámci podpůrného programu TARP (Troubled Asset Relief Program). Britská vláda podpořila banky zakoupením akcií za 50 milionů liber. Dokonce i nejstarší existující banka na světě, italská Banca Monte dei Paschi di Siena (založená 1472), utrpěla obrovské ztráty investicemi do rizikových finančních produktů. Italská vláda na záchranu této banky v roce 2016 přispěla více než 4 miliardami eur.

A Plakát „Hope" (Naděje) Sheparda Faireyho s Barackem Obamou z roku 2008 si hnutí Occupy v roce 2011 pozměnilo a využilo při protestech proti světovým sociálním a hospodářským nerovnostem.

B Tento plakát „Rise Up" (Povstaňte) vytvořil v roce 2011 Nathan Mandreza pro protestní hnutí Occupy Wall Street, které dalo celé akci světovou proslulost.

C Plakát „Monopoly Tower" od Lalo Alcaraz obsahuje také slogan hnutí Occupy: „My jsme těch 99 %", který připomíná ohromné rozdíly v postavení a příjmech, jelikož bohatství a moc se soustředí v rukou horního 1 %.

D Plakát „Occupy Wall Street" (sítotisk na papíře) navrhla roku 2011 Jeanne Verdoux. Hnutí se rychle rozšířilo do finančních distriktů velkých měst na celém světě.

A

B

Bankéři se do rizikových akcí pouštějí bez obav, protože vědí, že je velmi pravděpodobně zachrání stát a nestihne je žádný přísný trest. Jen jediný bankéř se dostal do vězení kvůli aktivitám, které vyvrcholily v krizovém roce 2008: Kareem Serageldin z banky Credit Suisse byl roku 2013 za podvody odsouzen ke 30 měsícům vězení. Pokutami, které je obvykle možné odečíst od daňového základu, byly většinou potrestány korporace, ne konkrétní zaměstnanci.

Emmanuel Macron (nar. 1977) Francouzský politik, pracoval jako ministr hospodářství, financí a průmyslu od 2014 do 2016. Bývalý člen Socialistické strany, založil novou středovou stranu s názvem En Marche! a ve volbách roku 2017 se stal prezidentem Francie. V prvním kole získal 24 % hlasů. Ve druhém kole zvítězil nad svou protikandidátkou, pravicovou političkou Marine Le Pen z Národní fronty.

John Key (nar. 1961) byl předsedou novozélandské vlády za středo-pravou Národní stranu, od roku 2008 do 2016.

Součástí problému je i to, že velké banky jsou pevně provázané s vrcholnými politiky. Finanční sektor ve vládě hojně lobbuje za příznivé podmínky. V průběhu posledního volebního cyklu v USA (2015–2016) se za lobbing utratily 2,8 miliardy USD. Není tudíž divu, že si mnozí politikové po odchodu z aktivní služby nacházejí lukrativní pozice ve finančnictví. Roku 2017 se George Osborne, bývalý britský ministr financí, stal „poradcem" v BlackRock, největší investiční firmě na světě, která spravuje finanční prostředky ve výši více než 4 bilionů liber. A naopak, bývalí bankéři na celém světě často pracují na vysokých politických postech: francouzský prezident Emmanuel Macron byl investičním bankéřem ve francouzské pobočce Rothschild Group a bývalý předseda vlády Nového Zélandu John Key 6 let pracoval jako investiční bankéř v Merrill Lynch.

C

D

Z lekcí jsme se nepoučili. Navzdory světové finanční krizi v roce 2008 banky stále půjčují rekordním tempem – od roku 2008 více než 60 bilionů USD. Světový dluh je přibližně třikrát vyšší než světový HDP. Zatímco se svět snaží zotavit po roce 2008, už vyséváme semínka další krize.

Přitom strůjci minulé krize jsou stále bohatí a v bezpečí; vlády nechávají náklady rozpustit mezi veškeré obyvatelstvo pomocí přísných úsporných opatření. Kapitalismus je založený na soutěži. Proto vždy máme vítěze (boháči) a poražené (chudí).

A

A Protestující v Londýně demonstrovali 21. června 2017 proti způsobu, jakým úřady bojovaly s požárem v Grenfell Tower, kde přišlo o život přinejmenším 71 osob.

B Přestože budova Grenfell Tower stojí v jedné z nejbohatších částí Londýna, nacházely se v ní sociální byty. Neštěstí se stalo symbolem úsporných opatření, která poškozují čtvrti, v nichž žijí sociálně slabší vrstvy.

B

Obhájci kapitalismu tvrdí, že je možné dostat se ze dna vzhůru a že nerovnost ve skutečnosti lidi motivuje k tomu, aby pracovali usilovněji a snažili se zbohatnout.

Neoliberální politika způsobila, že se ve většině zemí od osmdesátých let ještě více rozevřely nůžky ve výši příjmu. Kapitalismus zdaleka nepřináší bohatství všem, ještě prohlubuje příkop mezi bohatou a chudou částí společnosti. V roce 1965 měl průměrný americký ředitel 24 krát vyšší příjem než průměrný dělník v továrně. Nyní vydělává asi 200krát víc.

Úsporná opatření vláda přijímá za účelem rychlého snížení příjmového deficitu, aby nebyly její příjmy nižší než výdaje. Součástí těchto opatření bývá omezení veřejných výdajů, zvýšení daní nebo obojí zároveň. V roce 2008 se taková opatření začala využívat v mnoha evropských zemích.

Thomas Piketty (nar. 1971) je profesorem v L'École des hautes études en sciences sociales. Soustředí se na výzkum nerovnosti distribuce bohatství. Tvrdí, že se tato nerovnost bude postupně prohlubovat, protože rychlost ekonomického růstu v rozvinutých zemích je nižší než výnosy z investovaného kapitálu.

V roce 2013 francouzský ekonom Thomas Piketty vydal knihu *Kapitál v 21. století*, v níž říká, že zvětšování ekonomických nerovností bude nadále pokračovat, pokud vlády násilně nezačnou příjmy přerozdělovat. Dokonce i v rozvojových ekonomikách Číny, Indie a Jižní Afriky se stále více bohatství shromažďuje v rukou těch nejbohatších.

Osoby, které vlastní více než 1 milion USD, tvoří 0,334 % světové populace, ale mají kontrolu nad 33,2 % světového bohatství.

Finanční nerovnosti jsou dnes takové, jaké tu nebyly od 19. století. Kromě toho má v USA nejbohatší 0,1 % takové jmění, jako dolních 90 %, a tento trend se rozšiřuje celým západním světem. Je jasné, že bohatství izolovalo etablovanou elitu před následky krize v roce 2008.

Především mladí byli vyloučeni z ekonomického růstu a poprvé v historii pravděpodobně nedosáhnou úrovně bohatství, jíž se těšili jejich rodiče.

A

B

C

V posledních letech v Evropě prudce vzrostla nezaměstnanost mladých. Ekonomická integrace nepomohla, protože členství v eurozóně znamená, že členské země nemohou svou měnu devalvovat, aby podpořily vývoz. V roce 2017 byla nezaměstnanost mladých v Řecku a Španělsku 48 %, respektive 40,5 %. Ve Francii přibližně čtvrtina lidí mladších než 25 let hledá bez výsledku práci. To mělo za následek rostoucí podporu extrémně pravicových stran, např. Národní fronty (která ve francouzských prezidentských volbách roku 2017 získala 21,3 % v prvním kole a třetinu hlasů ve druhém kole).

A **Obálka francouzského časopisu Marianne z července 2015 zesměšňuje německou kancléřku Angelu Merkelovou a kritizuje ji za kruté řešení dluhové krize řecké vlády.**

B **Na březnové obálce německého časopisu Spiegel z roku 2015 spolu stojí Angela Merkelová a skupina nacistických důstojníků před řeckým chrámem. Titulek hlásá: „Jak Evropané pohlížejí na Němce – německá nadřazenost.“**

C **Graffiti na athénské Bance Řecka: „Zde jsou zloději“. 20. května 2010 pochodovalo centrem Athén kolem 25 tisíc protestujících proti úsporným opatřením, které si vynutilo katastrofické zadlužení země.**

Výzkumy německých ekonomů Markuse Brücknera (nar. 1983) a Hanse Petera Grünera (nar. 1966) zjistily, že v zemích s vysokou mírou nerovnosti je zpomalení růstu spojované s rostoucí podporou pravicových nebo nacionalistických stran a politiků, protože lidé hledají radikální řešení pro svou neradostnou budoucnost.

Elita si užívá nejvyšších příjmů a má dost financí na týmy právníků a účetních, kteří ji dokážou ochránit před placením daní. Jejich bohatství jim umožňuje lobbovat ve vládě za reformy, které jim jdou na ruku – například snižování daní bohatým. V USA rozhodnutí nejvyššího soudu roku 2010 (lobbistická skupina Citizens United vs. Federální volební komise) stanovilo, že příspěvky na kampaň jsou formou svobody slova, a tudíž jsou chráněny Ústavou USA. Kanadská spisovatelka Naomi Klein říká, že během minulých 40 let korporátní zájmy využívaly krize (např. invazi do Iráku roku 2003) k protlačení reforem prospívajících bohatým a zároveň jako omluvu rozpadu občanských svobod a porušování lidských práv.

Klesající zdanění a kreativní přístup k účetnictví umožňují těm nejbohatším ještě více vydělávat a více ušetřit.

Naomi Klein (nar. 1970) je kanadská spisovatelka a aktivistka, jedna z předních kritiček globalizace a kapitalismu.

A *Eclipse*, luxusní jachta ruského oligarchy Romana Abramoviče, stála kolem 500 milionů USD, má dva heliporty, dva bazény a systém detekující raketové střely.

B Protest proti službě Uber v Paříži roku 2016. Kritici této firmy zajišťující spolujízdu tvrdí, že ignoruje bezpečnostní a licenční předpisy, nechrání osobní údaje zákazníků a vyhýbá se placení daní.

C Většina kurýrů v Deliveroo, online služby rozvážející potraviny, pracuje jako OSVČ. Jsou součástí rozsáhlé „gig-economy", kdy se pracovní síla zaměstnává na krátkodobé úvazky.

A

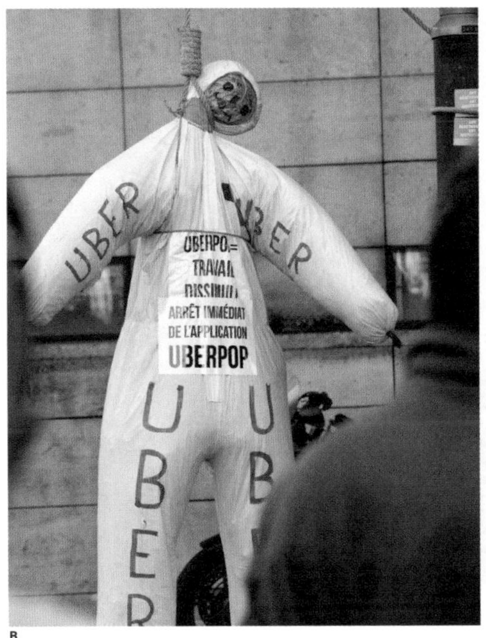

B

C

Toto bohatství však již „nedoteče“ k těm nejchudším vrstvám společnosti, jejichž mzdy nedokážou držet krok se zdroji, kterými oplývají boháči. Místo toho se koncentruje v rukou těch nejprivilegovanějších.

Tržní ekonomiky usilují o maximalizaci zisků a produktivity pomocí „kreativní destrukce“. Aby byl možný pokrok, staré technologie a průmyslová odvětví musí jít stranou bez ohledu na existenční jistoty lidí. Kupříkladu automatizace ohrožuje zaměstnání milionů lidí. Studie z roku 2013 zjistila, že 47 % amerických dělníků pracuje v provozech s vysokým rizikem automatizace (která by vedla ke ztrátě jejich zaměstnání). Nebezpečné je, že mnoho z těchto lidí se dostane na špatně placená místa ve službách nebo budou pracovat na částečný úvazek v zaměstnáních, která neskýtají ani uspokojení, ani sociální jistoty. Navíc v globalizovaném světě může mezinárodní společnost přesunout výrobu tam, kde je nižší cena práce nebo nižší výrobní náklady.

A

Z toho mají prospěch pouze elity. V západním světě města a oblasti, které se dříve zabývaly například těžbou uhlí, stavbou lodí nebo výrobou textilu, trpí v těchto oborech úbytkem pracovních příležitostí. Neoliberální trend přivedl do mnoha odvětví privatizaci; obvykle se jednalo o nezvratný proces, jehož výsledkem byly vyšší ceny a propouštění. Korporace, které se dříve zodpovídaly lidem, jsou dnes odpovědné pouze akcionářům a motivovány jsou maximalizací zisku. Odbory, které dříve mluvily hlasem zaměstnanců, jsou na okraji zájmu. Např. v USA je pouze 11 % zaměstnanců členy odborů. Od vrcholu v roce 1979 počet britských odborářů klesl na polovinu – z více než 13 milionů na 6,2 milionů roku 2016. Tento trend platí i pro Německo a Francii, bývalé odborářské velmoci. Silné odbory pomáhají vymáhání pravidel a předpisů chránících zaměstnance.

Solidarita mezi zaměstnanci možná přemůže jiné nerovnosti, které ve společnosti existují. Např. v USA černošští zaměstnanci, kteří jsou členy odborů, vydělávají o třetinu více než ti, kteří v odborech nejsou.

B

A/B Alegorické vozy zobrazující britskou předsedkyni vlády Theresu Mayovou a amerického prezidenta Donalda Trumpa se sochou Svobody byly součástí průvodu během Růžového pondělí v německém Düsseldorfu v únoru 2017. Brexit a Trumpovo prezidentství jsou velkou inspirací pro veřejnou satiru protestující proti vzestupu nacionalistického populismu.

V tomto prostředí, kdy přestává platit tradiční hospodářská identita a pracovní jistoty jdou stranou, není divu, že se množí takovým „pokrokem" cítí odtrženi a zanedbáváni. Vždyť v roce 2016 se Donald Trump stal prezidentem USA a Britové odhlasovali souhlas s vystoupením z EU. Obě události jsou částečně odmítnutím nerovností, které vyvolává kapitalismus v 21. století.

Dochází k erozi národní svrchovanosti ve jménu zisku.

Stejně jako kapitalismus vytváří nerovnost uvnitř států, zvýšil i celosvětovou nerovnováhu. Neoliberální přístup, který si osvojily vlivné organizace (např. MMF), vyzývá země k deregulaci a zavedení volného trhu – především snížením dovozních cel. Takové kroky jsou dokonce součástí smluv o půjčkách.

Přitom se v rozvojových zemích, které se otevřely volnému obchodování v osmdesátých a devadesátých letech, značně zpomalil růst ve srovnání s šedesátými a sedmdesátými lety 20. století, kdy zde platila ochranářská politika. Zboží z rozvinutějších zemí, které zaplavilo jejich trhy, zhoršilo odbyt domácí produkce, a tudíž zabránilo setrvalému ekonomickému růstu. Není divu, že se na tom tyto rozvinuté země – které také mají nejsilnější hlas v rámci MMF – všechny obohatily.

A

Ha-Joon Chang (nar. 1963) pracuje na Univerzitě v Cambridge. Vytrvale zpochybňuje převládající ekonomické teorie – velké množství svých myšlenek vydal v knize *23 věcí, které vám neřeknou o kapitalismu* (2010).

A Tato kampaň pro Cordaid, jednu z největších světových rozvojových organizací, vyzdvihuje ohromné rozdíly v rozdělení světového bohatství a ukazuje, jak Západ utrácí za luxusní zboží, zatímco v jiných místech světa si nemohou dovolit ani to nejnutnější.

B Maledivská vláda uspořádala v říjnu 2009 zasedání pod vodou, aby upoutala pozornost na to, jak globální oteplování a zvyšování hladiny oceánů ohrožuje existenci této země. Maledivy jsou státem s nejnižší nadmořskou výškou, a pokud se podnebí bude nadále měnit stejným tempem, hrozí jim zánik.

B

Západ by si měl uvědomit, že volný trh nedokáže udělat z chudých zemí bohaté.

Jihokorejský ekonom Ha-Joon Chang ukázal, že všechny velké rozvinuté země si trhy velmi přísně chránily v dobách, kdy rozvíjely svůj ekonomický potenciál; platí to pro Velkou Británii v období 1720–1850 nebo pro USA od 1830 do čtyřicátých let minulého století. Obhájci globalizace mohou poukazovat na to, že příjem na hlavu se v období 1980–2009 v méně rozvinutých zemích zvýšil o 2,6 %. Ovšem pokud z této skupiny vynecháme Indii a Čínu (ani jedna z těchto zemí zcela nepřijala neoliberální kapitalismus), situace už tak růžově nevypadá. Latinská Amerika rostla o 1,1 % a státy subsaharské Afriky pouze o 0,2 %.

A

Nerovnost mezi bohatými a chudými zeměmi stále roste, od roku 1960 do 2016 se ztrojnásobila. Kapitalismus neobohatil všechny části světa rovnoměrně – rozdíl mezi rozvinutým a nerozvinutým světem se nezmenšil, ba naopak se stále rozrůstá.

Největší škoda, kterou kapitalismus vyvolal, se teprve projeví. Země se zahřívá. To způsobí zvýšení hladiny moří a oceánů a povede k záplavám, které by mohly zcela zatopit ostrovní státy – jako Maledivy nebo Tuvaly – a ohrozit pobřežní oblasti dalších zemí. Stoupající teploty sníží produktivitu zemědělství a zvýší ceny potravin. Bezprostřední příčinou tohoto stavu je uhlík,

který se do atmosféry dostává spalováním fosilních paliv, jejichž spotřeba se významně zvýšila od dob průmyslové revoluce. Růst plynných emisí se od roku 2000 snížil – v prvním desetiletí 21. století se zvyšoval o 3,5 % ročně, ale v posledních 3 letech stoupal v průměru jen 0,3 % za rok.

Světová meteorologická organizace oznámila, že roky od 2011 do 2015 byly dosud zaznamenaným nejteplejším pětiletým obdobím. Do roku 2050 budou světové teploty pravděpodobně o 2 – 3,6 °C vyšší než před rokem 1800. Přestože víme, jak nebezpečné je dlouhodobě spoléhat na ropu, plyn a uhlí, velké podniky jsou na nich stále závislé. V mnoha zemích mají firmy vyrábějící energii tak velký vliv, že je vláda nemůže regulovat, a tak dále páchají škody. Výsledkem jejich politického vlivu jsou vysoké dotace od státu – přibližně 1 bilion liber ročně. Aby bylo ještě hůř, stále se snižuje množství lesních ploch, které vyrábějí kyslík, a na jejich místě často vznikají dobytčí farmy. Podle Světového fondu na ochranu přírody naše planeta každou minutu ztratí lesní porost o velikosti 48 fotbalových hřišť.

Kapitalistický systém se soustředí na krátkodobé zisky, a tím ohrožuje budoucnost naší planety.

A **Na této letecké fotografii Kapuas Hulu, v Západním Kalimantanu na ostrově Borneo, z 6. července 2010 jsou vidět plantáže největšího výrobce palmového oleje v Indonésii, Sinar Mas. Podle zprávy Greenpeace tato společnost zdevastovala miliony hektarů deštného pralesa, což povede k vyhubení mnoha ohrožených druhů.**

B **Cena za pokrok? Za rychlou urbanizaci a industrializaci Čína platí vysokou daň: fotografie z Olympijského parku v Pekingu 1. 12. 2015.**

B

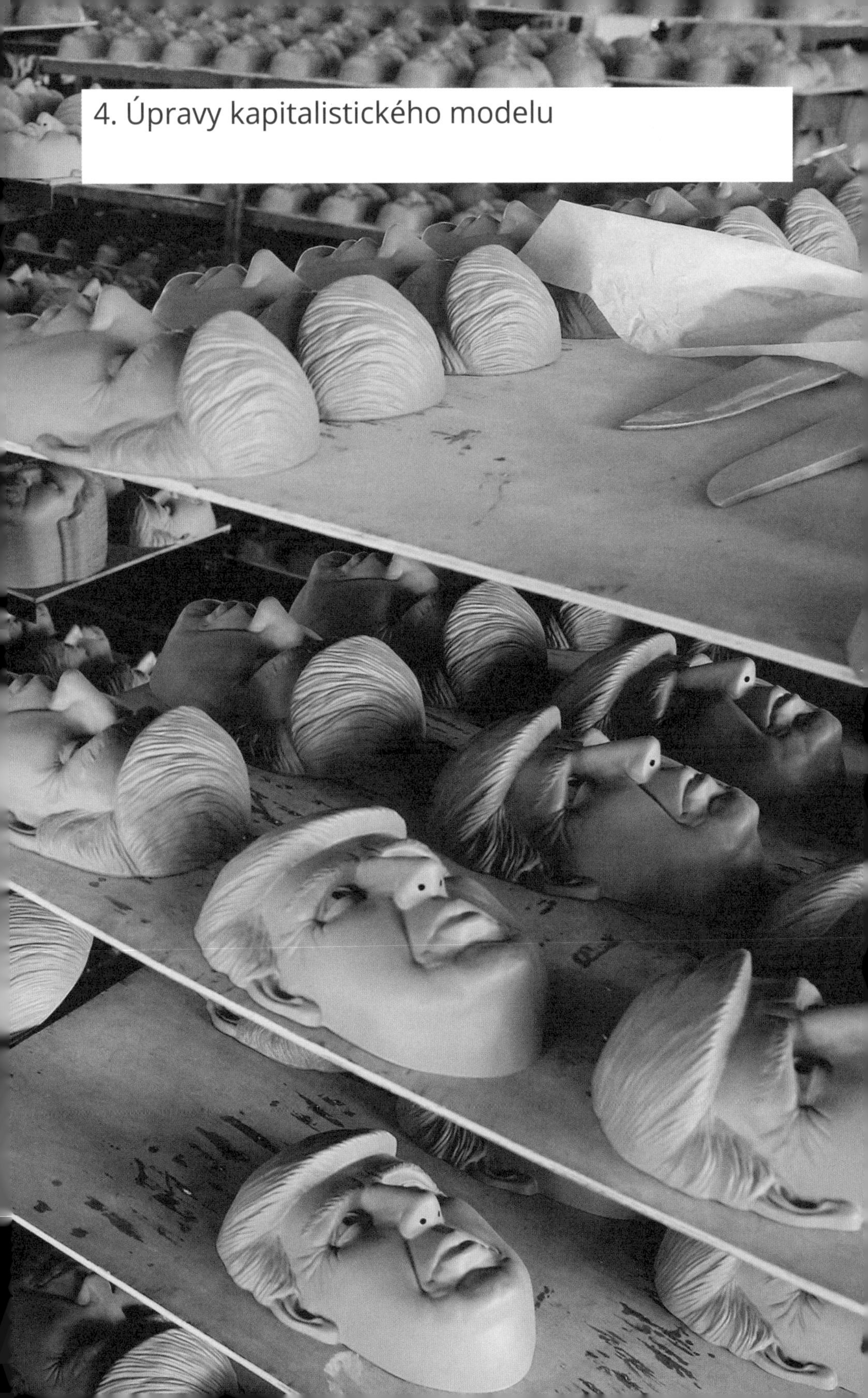

4. Úpravy kapitalistického modelu

A

Sociální, ekonomické, politické a ekologické výzvy zbytku 21. století si vynutí změny kapitalistického systému.

Životaschopné alternativy k tradičnímu modelu kapitalismu existují. Propagátoři neoliberálního kapitalismu tvrdí, že je nutné, aby vlády nechaly volnému trhu svobodnou ruku. Přitom ohromná transformace, kterou v posledních desetiletích prodělala Čína, ukazuje, že státní dohled nad hospodářstvím se s ekonomickým růstem nevylučuje.

Teng Siao-pching (1904–1997) se stal nejvyšším vůdcem Číny roku 1978, když z politické hry vytlačil Chua Kuo-fenga, vybraného nástupce vůdce Komunistické revoluce v Číně, předsedy Mao Ce-tunga (1893–1976). Teng zavedl novou ideologii zvanou „Socialismus s čínskými rysy", která spojovala aspekty socialismu s tržním kapitalismem. Roku 1989 Teng silou potlačil protirežimní studentské protesty na náměstí Nebeského klidu. V tomto roce rezignoval na některé funkce a roku 1992 se oficiálně stáhl z politického života. Jeho nástupcem je Ťiang Ce-min (nar. 1926), pokračovatel Tengovy politické strategie.

Ovšem v Číně vláda neplánuje ekonomiku ve stejném rozsahu, jako se to dělo v bývalém Sovětském svazu. Teng Siao-pching si komunismus přizpůsobil místním podmínkám. Jeho doktrína „jedné země, dvou systémů" umožnila koexistenci kapitalistických oblastí, například Hongkongu a Macau, uvnitř socialistického státu.

Ústava Čínské lidové republiky od roku 1982 povoluje soukromé podnikání, liberalizuje trh a umožňuje přístup zahraničních investic. Vláda se nesnaží řídit každý aspekt hospodářství přímo. Ovšem ponechala si kontrolu nad vztahem čínské ekonomiky jako celku směrem k ostatním zemím. Čínský stát si vytyčil ekonomické cíle a směrnice, jejichž úkolem je zajistit udržitelný rozvoj země. Velké podniky – od těžařských přes banky po letecké společnosti – jsou i nadále ve vlastnictví státu s cílem uspokojit národní zájmy. Časopis *Fortune* v roce 2016 zveřejnil seznam společností s největšími zisky a z pěti byly tři z Číny – státní energetický závod State Grid Corporation of China a dva výrobci ropy a plynu, China National Petroleum a Sinoopec Group, jejichž celkový zisk dosáhl 923,2 miliardy USD.

Během uplynulých 30 let čínská ekonomika rostla v průměru o 10 % ročně, což dokazuje, že otrocké kopírování tradičního kapitalistického systému není jedinou cestou k hospodářskému rozvoji.

B

C

A **Fotografie z Číny v roce 1983. Plakát slibuje velké věci, které se zde po smrti Maa budou dít, kvetoucí trh se spotřebním zbožím a rodiny s jedním dítětem.**

B **„Vybudujte skvělý nový svět v socialismu moderní konstrukce", čínský propagační plakát z osmdesátých let.**

C **„Radostně oslavujte vrácení Hongkongu" (1997). Chlapec drží vlaječku, kterou Hongkong používá po vrácení území pod čínskou správu.**

A

Alternativním přístupem ke kapitalismu je „ekonomická demokracie“, jejímž cílem je zachovat nejlepší rysy kapitalismu a zároveň držet na uzdě jeho negativa. Zásadní součástí je zajištění demokracie na pracovišti. V takovém systému se vedení nezodpovídá akcionářům, ale zaměstnancům, kteří se podílejí na zisku firmy. Vedení je volené zaměstnanci, což znamená, že nehrozí nedostatek koupěschopné poptávky, protože každé zvýšení produktivity vede k vyšším mzdám.

Jedním z hlavních propagátorů ekonomické demokracie je David Schweickart, který také prosazuje jednotnou daň na všechny podniky vytvářející zisk. Vybraná daň by se úměrně a transparentně reinvestovala, což by způsobilo „demokratizaci hospodářství“.

A **V roce 1987 žilo v Šanghaji přibližně 11 milionů lidí. Přestože už byla hlavním ekonomickým centrem Číny, ještě nebyla světovým finančním centrem.**

B **V roce 1993 čínská vláda otevřela Šanghaj zahraničním investorům. Počet obyvatel vzrost na 23 milionů a nové panorama je symbolem rostoucí síly čínské ekonomiky.**

B

Jednou z hlavních příčin krize roku 2008 bylo nezodpovědné chování finančního sektoru. Reforma tohoto sektoru je pro jakoukoli modifikaci kapitalistického modelu zásadní. Americký ekonom Joseph Stiglitz říká, že bankovnictví má dvě hlavní funkce: zaprvé vytvářet efektivní platební způsoby a zadruhé vyhodnocovat a ovlivňovat riziko a poskytovat půjčky. Díky těmto úlohám jsou banky klíčovou součástí hospodářství a vlády je neváhají v nesnázích podpořit. Kdyby se bankovnictví zcela zhroutilo, nebudou se platit účty, nebude se investovat, lidé nebudou dostávat úvěry. Zkrátka – společnost se zastaví. V době těsně před krizí mnoho bankovních domů zanedbávalo svoje klíčové funkce a dávalo přednost stále riskantnějším aktivitám.

Koupěschopná poptávka vyjadřuje množství zboží a služeb, které si zákazník chce a může (v závislosti na svém příjmu) koupit. Pokud produktivita roste rychleji než mzdy, koupěschopná poptávka klesá.

David Schweickart (nar. 1942), americký filozof a matematik, jeden z hlavních zastánců ekonomické demokracie.

Joseph Stiglitz (nar. 1943), americký ekonom, pracuje na Columbia University. V letech 1995–1997 byl předsedou Rady ekonomických poradců prezidenta USA, od 1997 do 2000 byl hlavním ekonomem Světové banky. Stiglitz je jedním z nejvlivnějších a nejpřesvědčivějších kritiků ekonomiky volného trhu a globalizace.

Potenciálně negativní dopad krachu bank by byl nejzávažnější v případě systémově významných finančních institutcí (tzv. SIFI). Podle Rady pro finanční stabilitu, mezinárodní pozorovací komise globálních financí, v roce 2016 existovalo 30 SIFI. Největší dvě z nich byly Citigroup a JPMorgan Chase. Kolaps SIFI by způsobil rozsáhlé celosvětové hospodářské škody, jenže jejich důležitost vytváří prostor pro vysoce riskantní chování jak jejich zaměstnanců, tak investorů, kteří jsou ochotni více riskovat, protože věří v neviditelnou záchrannou síť (vládu, která jim přijde na pomoc). To způsobilo, že SIFI jsou v současnosti větší, než je ekonomicky zdravé. Dlouhodobým řešením by bylo jejich rozdělení na menší banky, i když to se vzhledem k jejich síle a vlivu pravděpodobně nestane.

Od roku 2008 se vlády snaží bankovnictví regulovat. V USA Dodd-Frankův zákon z roku 2010 zavedl nová opatření, například povinnost poskytovatele půjčky zjišťovat, že dlužník je dostatečně solventní, aby mohl hypotéku splácet. Další důležitou částí tohoto zákona je Volckerovo pravidlo, které omezuje bankám možnost vstupovat do spekulativních investic, které by mohly ohrozit peníze věřitelů. V roce 2011 Vickersova komise doporučila reformní kroky britskému bankovnímu sektoru. Navrhla, aby hlavní služby (např. ukládání peněz) byly přísně odděleny od rizikových aktivit (např. obchodování s cennými papíry) a banky vytvářely dostatečné kapitálové rezervy pro případ krize (tato povinnost bude platit až od roku 2019). V EU se na základě Larosičrovy zprávy z roku 2009 a Liikanenovy zprávy z roku 2012 chystají podobné předpisy a nařízení.

A

Vzhledem k propojování ekonomik a skutečnosti, že banky mívají desítky zahraničních poboček, musí být reformy mezinárodní. Třetí opatření Basilejského výboru pro bankovní dohled (tvz. Basel III) byla přijata už v roce 2011, ale tlak finačního sektoru způsobil, že se začnou implementovat až od roku 2019. Cílem je zvýšit odolnost bank vůči otřesům stanovením minimálního množství kapitálu, který musí vlastnit, omezováním koeficientu zadlužení a zvyšováním transparentnosti aktivit. Na Basel III se snáší kritika z obou stran: podle některých jsou příliš přísná a omezují růst, podle jiných jsou moc shovívavá a nepředchází vzniku další krize.

A Z dnešního pohledu byl krach newyorské burzy v roce 1929 předzvěstí dalších krizí, které přineslo 20. století. Tato fotografie Walkera Evanse (1928–1930) suše komentuje tehdejší dobu.

B Krach investiční banky Lehman Brothers 15. září 2008 předznamenal světovou finanční krizi. Korupce, krádeže a neuvážené spoléhání na nestandardní hypoteční cenné papíry – to vše mělo podíl na jejich pádu.

Basilejská dohoda Basilejský výbor pro bankovní dohled je mezinárodní organizace se sídlem ve Švýcarsku. Byla založena roku 1974 s cílem zlepšit dohled nad bankovním sektorem. Výbor má 45 členů ve 27 zemích. Periodicky vydává tvz. dohodu, která stanoví pravidla a standardy pro bankovní sektor. První dohoda byla zveřejněna v roce 1988, druhá v roce 2004.

Míra zadlužení je určena poměrem půjček k vlastnímu kapitálu banky.

B

A

Během posledních 50 let se bankovnictví změnilo z usedlého a tradičního podnikání v jedno z nejlukrativnějších dynamických odvětví moderního průmyslu. Přitahuje množství velmi inteligentních a ctižádostivých lidí.

Banky najímají odborníky (tzv. quanty) s vysokým matematickým, fyzikálním a technickým vzděláním. Z toho vyplývá, že tvorba lidského kapitálu už nepřispívá ke zlepšování dlouhodobé ekonomické produktivity pomocí inovací, místo toho se věnuje zvyšování dividend akcionářů. Nadání bankovních analytiků může vytvořit jen velmi málo, pokud vůbec nějaké, pozitivních externalit, které by prospívaly širší veřejnosti. Tomu by mohly pomoci reformy omezující růst platů a bonusů vyplácených bankovním zaměstnancům, ale není pravděpodobné, že se tak stane. Například v roce 2016 Británie, Francie, Irsko a další odmítly uposlechnout doporučení EU omezující bonusy vyplácené bankéřům na 100 % jejich platu.

A **Na začátku 20. století se zaměstnání v bance považovalo za nudné, později získalo lákavý punc prestiže.**

B **Makléři a úředníci z CME Group v Chicagu oslavují poslední obchodní den 31. prosince 2010. Za tento rok americké burzovní indexy, podle S&P, Dow i Nasdaq, vykázaly meziroční růst více než 10 %.**

B

Jakkoli je regulace nedostatečná, alespoň nějaké kroky k zamezení vzniku dalších krizí byly skutečně učiněny. V budoucnosti se musí vlády neúnavě snažit, aby se bankovní sektor doporučeními skutečně řídil, a pružně je přizpůsoboval měnící se situaci.

Svou roli tu hraje také zákazník. Zásadní je, aby se seznámil se smluvními podmínkami finančních produktů. Je sice únavné číst drobná písmenka smluv, ale je životně důležité vědět, jakou smlouvu podepisuje a jaká rizika jsou s podpisem spojena.

Quant je akronymem pro kvantitativního analytika. Jejich specializací je analyzovat finanční trhy pomocí matematických a statistických výpočtů.

Tvorba lidského kapitálu obsahuje znalosti, hodnoty, dovednosti a zkušenosti, které lze využít při výkonu práce při výrobě zboží a služeb. Lidský kapitál se tvoří především vzděláním a praxí. Ani zdravotní hledisko není zanedbatelné, protože k udržení lidského kapitálu je potřeba zdraví. Ekonom Gary Becker (1930–2014) a držitel Nobelovy ceny řekl, že efektivní tvorba lidského kapitálu je zásadní součástí k dosažení významného hospodářského růstu.

A

B

Zákazníci si také musí dávat pozor na sliby, které znějí „příliš dobře". Neměli by zapomínat na hypotézu efektivního trhu amerického ekonoma Eugena Famy, podle které nemohou investoři trvale očekávat výnosy vyšší než je průměrná hodnota na trhu.

Je nepravděpodobné dlouhodobě „vítězit nad trhem".

V průběhu posledních 30 let se v rozvinutých zemích rozevřely nůžky mezi chudými a bohatými. Můžete být zastáncem kapitalismu volného trhu, ale je to problematická cesta, která dlouhodobě může zavinit závažné hospodářské náklady.

Vznik bohaté vyšší třídy brání sociálnímu posunu směrem vzhůru. V zemích, kde jsou nerovnosti velké – např. v Británii a USA –, bývá mezigenerační platová mobilita (míra, s níž se mění příjem z generace na generaci) nízká.

To je projev uzavřenosti systému, v němž talentovaní jedinci nepocházející z bohatých rodin nejsou schopni naplňovat svůj potenciál.

Velmi nevyrovnané rozložení bohatsví má ničivý dopad na obecnou poptávku. Celková hladina spotřeby je mnohem více závislá na uspokojování masového trhu než požadavků elity – zboží a služby obsažené v CLEWI ekonomiku neuživí. Navíc nerovnosti zužují státu daňovou základnu tím, že vytvářejí třídu natolik chudou, že nevydělává tolik, aby platila daň z příjmu. To znamená, že vlády mají méně prostředků na investice do důležitých oblastí, jako je infrastruktura nebo sociální zabezpečení.

Nerovnost také vyvolává rostoucí rozčarování ze stávajícího politického systému. Sama o sobě je krize demokracie katastrofální, ale má i ekonomické implikace. Vývoj kapitalismu a jeho pozitivní dopad obvykle jde ruku v ruce se zastupitelskou demokracií.

Eugene Fama (nar. 1939) je držitelem Nobelovy ceny za ekonomii a nejvíce se proslavil analýzou cen akcií. Jeho práce ukazuje, že je téměř nemožné v krátkodobém horizontu ceny spolehlivě předvídat, protože každá nová informace se v ceně akcií velmi rychle projeví.

CLEWI Časopis Forbes už 40 let vypočítává index Životních nákladů na extrémně luxusní žití (CLEWI) pomocí košíku 40 komodit – včetně jachet, lístků do opery, plnokrevníků, kožešin, šampaňského a plastické chirurgie.

C

D

A–D Neonové reklamy upozorňují na podniky poskytující krátkodobé půjčky. „Payday loans“ půjčky (Půjčte si do výplaty) se obvykle vztahují na malé částky, které má zákazník splatit, až dostane výplatu. V mnoha zemích jsou velmi málo regulované a roční úroková míra těchto půjček může přesahovat 1 000 %. Pokud dlužník nezaplatí včas, začnou se dluhy hromadit.

A

A Předtím než se Donald Trump stal americkým prezidentem, pracoval Jared Kushner jako vydavatel novin a realitní developer, jenž obchod převzal po svém otci odsouzeném za daňové úniky. Ivanka Trump byla módní návrhářka a celebrita. Oba teď hrají navzdory absenci politických zkušeností v Trumpově kabinetu významnou roli.

B Letištní uklízeč by musel bez přestání pracovat osm tisíc let, než by si vydělal tolik, kolik činí jmění Kushnera a jeho ženy.

Ve většině rozvinutých zemí občané svrhli rodovou elitu, aby vytvořili společnost, v níž je politická moc a bohatství rozděleno do širších vrstev. Časem se demokracie prohloubila a zahrnula i ženy a menšinové skupiny. Když se vláda musí zodpovídat širším vrstvám, vznikají inkluzivní instituce, které umožňují přístup k ekonomickým příležitostem větší části populace.

Ovšem je zde výrazné riziko, že se od nich zcela oddělí apatická vrstva s nejnižšími příjmy. To by znamenalo, že elity by získaly neomezenou dominanci nad vládou, která by pracovala výhradně v jejich zájmu, aniž by braly ohled na zajištění nebo rozšíření prosperity a bezpečnosti do celé společnosti. A pokud dojde k zásadní krizi, není důvod myslet si, že by nejbohatší jednotlivci usilovali o vyřešení a nápravu.

Někteří ze superbohatých jsou pesimisté, co se týče budoucnosti světa, a tak si vytvářejí komplexní plány, jak se zachránit v případě rozpadu společnosti – staví bunkry a investují do zlata. Jako ideální útočiště se jim pro případ nouze jeví Nový Zéland: např. Peter Thiel (nar. 1967), miliardář a spoluzakladatel PayPal, sem už investoval miliony dolarů.

Přerozdělování bohatství by zajistilo, aby sociální nerovnost dále nerostla.

V mnoha zemích se podíl daňové zátěže, který platí finanční elita, dokonce v posledních letech zmenšil. Částečně je to způsobeno „stínovým bankovnictvím“, které funguje mimo tradiční bankovní systémy. Celosvětově se hodnota stínového finančnictví odhaduje na více než 80 biliard USD a od roku 2008 stále roste (v Irsku mělo stínové bankovnictví v aktivech v roce 2016 2,3 biliardy eur, což je desetinásobek irské ekonomiky).

B

A

Běžnými investičními prostředky bývají private equity fondy a hedgingové fondy, které nejsou dostupné široké veřejnosti, ale pouze vysoce kvalifikovaným investorům. Obrovský rozsah stínového bankovnictví vytváří problém, protože zde téměř nefunguje regulace, což vede k ještě rizikovějšímu chování. V případě další finanční krize by došlo ke ztrátám obrovských částek.

Stínové bankovnictví je obtížně zdanit: je neprůhledné a často umístěné do daňových rájů. To vede k tomu, že jsou tyto spekulační investice zatíženy nižšími daněmi než ty bezpečnější.

Private equity fondy se soustředí především na nákup akcií. Investoři (včetně bohatých jednotlivců, penzijních fondů a nadací) vytvoří partnerství a svěří společné jmění řediteli fondu, který za ně investuje, obvykle po dobu 10 let.

Hedgingové fondy se snaží investorům získat maximální zisky a k tomu používají celou řadu postupů. Často jsou silně zadlužené a investují do širokého spektra snadno a rychle likvidních aktiv.

Účinné a spravedlivé zdaňování je důležité z mnoha důvodů. Mimo jiné zajišťuje určitý rozsah přerozdělování příjmů a umožňuje vládě, aby řešila problémy způsobené trhem (např. znečištění ovzduší). Rovná daň, podle níž platí každý stejný podíl ze svého příjmu bez ohledu na jeho výši, nejspíš nebude účinná. Takový daňový systém by sice byl jednodušší, ale více by omezil příjem a zatěžoval poplatníky s nižšími výdělky.

Radikálním řešením je 100% dědická daň, která by důrazně změnila distribuci příjmu přecházejícího z jedné generace na druhou.

Toto je ovšem také neprůchodné, vzhledem k tomu, jaký tlak by odpůrci takového přístupu kladli vládě, nemluvě o tom, jaké právní a finanční mechanismy existují pro snižování daňové povinnosti plynoucí z pozůstalosti.

A **Uprostřed tohoto obrazu je Ugland House, kde je zaregistrováno více než 19 tisíc společností. Stal se takovým symbolem daňových úniků, že Barack Obama řekl, že „se buď jedná o největší dům na světě, nebo o největší zaznamenaný daňový podvod“.**

B **V roce 2016 měly společnosti z Fortune 500 více než 2,6 biliard USD zisku v zahraničních daňových rájích, kde nepodléhají zdanění.**

B

Zahraniční (offshore) banky jsou umístěné v jiné než domovské zemi vkladatelů. Obvykle se nacházejí v daňových rájích, místech s nízkým daňovým zatížením, snadnou dostupností a diskrétností. K nejoblíbenějším patří Britské Panenské ostrovy, Kajmanské ostrovy, ostrůvek Jersey, Lucembursko a Švýcarsko.

A

A V tomto bankovním trezoru ve švýcarské Basileji je uloženo 8 milionů 5centimových mincí, jedna pro každého občana Švýcarska. V roce 2013 iniciativa Generation Basic Income obsah trezoru dražila, aby získala prostředky k propagaci myšlenky základního nepodmíněného příjmu.

B V roce 2013 sdružení mince vysypalo na Federálním náměstí v Bernu. Chtělo tím získat podporu pro referendum s návrhem, aby každý Švýcar dostával nepodmíněný příjem 2 500 švýcarských franků měsíčně. V roce 2016 tuto myšlenku podpořilo pouze 23 % voličů.

Možným řešením je také zdanění finančních institucí. V roce 2011 britská vláda představila daň z finančních závazků pro banky fungující v Británii, aby je odradila od rizikových půjček. Daň byla nejvyšší v roce 2015 – 0,21 % – a vydělala asi 3 miliardy liber. Kvůli nátlaku ze strany bank se tento poplatek na období 2017–2022 snížil na 0,1 %.

Dramatičtějším návrhem je Tobinova daň, která by zdanila krátkodobé finanční transakce, především ty spekulativní. I kdyby byla velmi nízká (většina propagátorů navrhuje 0,1–1 %), získaly by se díky ní miliardy a snížila by se atraktivita krátkodobého riskování. Protože finanční obchody jsou globální, musela by se tato daň uplatňovat na celém světě. Její kritici tvrdí, že by snížila objem finančních transakcí a investic.

Ustanovení univerzálního základního příjmu by zmírnilo chudobu a přerozdělilo bohatství. Podle této strategie by každý občan země dostal ničím nepodmíněný, garantovaný příjem. Pak by se mohl zrušit byrokratický aparát sociálních služeb, odpadlo by zjišťování finanční situace žadatelů. Zaměstnanci by měli bezpečností síť, která by jim umožnila opustit zaměstnání, která je neuspokojují, a věnovat se něčemu, kde by mohli být produktivnější. Kritici tvrdí, že by takový systém byl příliš drahý, vyvolal by inflaci a měl nepředvídatelné účinky na pracovní trh tím, že by odstranil nutnost pracovat. Alternativním přístupem by bylo využít vládu jako „zaměstnavatele poslední naděje", aby zajistila plnou zaměstnanost (tedy situaci, kdy by každý dospělý, který chce a může pracovat, měl zaměstnání). Vláda by nabízela práci, nejčastěji na nějakém projektu ve veřejném sektoru, která by zajistila garantovaný a přiměřený příjem chronicky nezaměstnaným jednotlivcům.

Přerozdělování bohatství uvnitř rozvinutých zemí je ohromně důležité, ale rozvojoví ekonomové tvrdí, že ještě vážnějším a naléhavějším problémem je světová nerovnováha hospodářského rozvoje. Pomineme-li nemorálnost takové situace, proč je problém to, že některá místa světa bohatnou, zatímco jiná stagnují?

B

Tobinova daň James Tobin (1918–2002) je americký keynesiánský ekonom, v roce 1981 získal Nobelovu cenu. Jedním z jeho nejznámějších návrhů byla daň na směnné operace, která podle něj měla omezit krátkodobé spekulace. Výraz „Tobinova daň" se nyní vztahuje na všechny krátkodobé transakce bez ohledu na typ.

Rozvojoví ekonomové se zabývají způsoby, jak v chudých zemích podnítit růst a prosperitu. Soustředí se na „rozvojové ekonomiky", což jsou země s nejnižší hospodářskou produkcí a úrovní života. Většina rozvojových ekonomik se nachází na africkém kontinentu.

A

B

A Kvůli nedostatku pracovní síly, která v USA nastala po válce Severu proti Jihu, sem přivezli 15 tisíc dělníků z Číny, aby postavili první transkontinentální železnici propojující oba oceány. Zde čínští dělníci staví pilíř u Secret Town na Centrální pacifické železnici v Kalifornii (1868).

B Dělníci při stavbě Severozápadní pacifické železnice (osmdesátá léta 19. století).

C Imigranti přijíždějí na Ellis Island v New Yorku, rok 1900.

V budoucnosti bude rozvojový svět hrát stále důležitější roli.

Rozvojové ekonomiky jsou domovem 80 % obyvatel světa. Protože porodnost na Západě stále klesá, bude se tento podíl zvyšovat. Spuštění a stimulace ekonomického růstu v těchto státech má obrovský přínos. Tyto země, jakmile budou dost bohaté, aby mohly utrácet za luxusní zboží a služby, jednak můžou potenciálně velmi povzbudit globální poptávku, a jednak představují široký ekonomický potenciál dosud nevyužitých inovátorů.

Průmyslové revoluce se účastnila pouze jedna třetina obyvatel světa. Představte si, k jakým průlomům produktivity mohlo dojít, kdyby se k ní dostala populace celé planety.

Zajištění ekonomického rozvoje a rovnoměrnějšího rozdělení bohatství na celém světě je bezesporu obrovským úkolem. Mezi rozvinutými a rozvojovými zeměmi existují hluboké majetkové propasti. Přestože světová nerovnost je silně historicky zakořeněná, nikdy nebyla tak dramatická jako dnes. V roce 1500 byl poměr HDP na hlavu v rozvinutém a nerozvinutém světě 1,3 : 1.

Na konci 20. století to bylo už 6,9 : 1. Během 19. a 20. století se růst nerovnosti zrychlil, protože některé země začaly využívat přínosy průmyslové revoluce a nových technologií. Ve stejné době imperialismus a kolonialismus vedl k ničení a vykořisťování řady nezávislých ekonomik. Například v 18. století byla Indie největším světovým výrobcem textilií, dokud ji nepředběhla konkurence z Británie.

Prostředky pro růst rozvojových zemí máme. Model „velkého tlaku“, který vytvořil roku 1943 ekonom Paul Rosenstein-Rodan (1902–1985), propaguje investice velkého rozsahu, které chudým zemím umožní nastartovat přechod od zemědělství k hospodářství založenému na průmyslu a dlouhodobě se udržitelně rozvíjet.

Zásadní problém rozvojového světa spočívá v místních institucích. Ekonomové Daron Acemoglu a James A. Robinson tvrdí, že spočívá v hlubokých historických příčinách založených na podstatě koloniálních režimů. Od roku 1815 do roku 1930 Evropu opustilo více než 50 milionů lidí a usadilo se na jiných kontinentech (především v Americe a Oceánii – 32,6 mil. v USA, 7,2 mil. v Kanadě, 6,4 mil. v Argentině, 4,3 mil. v Brazílii a 3,5 mil. v Austrálii).

Daron Acemoglu (nar. 1967) je turecko-americký ekonom. Pracuje na MIT.

James A. Robinson (nar. 1960) je britský ekonom pracující na Chicagské univerzitě. Jejich kniha ***Proč státy selhávají*** (Why nations fail, 2012) se zabývá tím, proč jsou některé země bohaté a jiné chudé.

c

V místech, kde se Evropané mohli snadno usazovat ve velkém počtu (např. Kanada), vznikaly demokratické a zodpovědné instituce, které dokázaly zajistit dlouhodobý hospodářský rozvoj. V zemích, kde klima nebo choroby příchod Evropanů komplikovaly, byl zaveden koloniální režim vyvádějící bohatství do Evropy. Zde se instituce soustředily na maximální vykořisťování veškerých zdrojů. A povaha režimu se často nezměnila ani po rozpadu koloniálního systému.

A Muži kopou ve zlatém dole, severovýchodní část Demokratické republiky Kongo, 2006. V zemi jsou potenciálně výnosná ložiska zlata, ale těžaři se potýkají se zkorumpovanými vládními úředníky a bezpečnostním personálem, kteří vyžadují nezákonné provize a úplatky.

B Děti nakládají pytle s bavlnou na nákladní vůz, Jizzakh, Uzbekistán, v roce 2010. Do roku 2012 vláda používala děti ve věku 11–15 let, aby jeden až dva měsíce ze školního roku sklízely státní plantáže.

Politické systémy v bývalých koloniích bývají zkorumpované a nezodpovědné. Zdroje a lidský kapitál nejsou rozloženy rovnoměrně. Proto je zde dlouhodobý růst téměř nemožný. Nejakutnější problémy sužují především subsaharskou Afriku, kde dokonce i země s obrovskými přírodními zdroji (např. ropa v Nigérii, bauxit v Guinei a uran v Nigeru) jsou stále velmi málo rozvinuté a zisky spotřebovávají pouze místní elity a zahraniční společnosti. Setřást ze sebe zhoubné dědictví imperialismu však možné je, jak dokazuje Botswana, která má nejvyšší index lidského rozvoje ze všech subsaharských států, nebo Indie, kde v roce 2016 HDP vzrostlo o 7 %.

A

B

Nejdůležitější změna, kterou musí prodělat celý svět, se týče vztahu kapitalismu a životního prostředí. Většina hospodářského pokroku, kterého jsme v posledních desetiletí dosáhli, se obrátí proti nám, pokud něco neuděláme. Zpráva Světové banky z roku 2015 říká, že pokud necháme klimatické změny nadále probíhat bez našich zásahů, do roku 2030 bude žít v chudobě 100 milionů lidí. Změna podnebí také zvyšuje pravděpodobnost vzniku mezinárodních a občanských konfliktů. Středisko zkoumající vliv klimatu na bezpečnost (Center for Climate and Security) tvrdí, že změny klimatu destabilizují státy, které nebudou moci občanům zajistit základní služby (potraviny, vodu, elektřinu), což povede k vnitřním nepokojům a stěhování populace. Klima mohlo přispět k probíhající občanské válce v Sýrii, která začala v roce 2011, protože sucho prohloubilo napětí panující ve společnosti. Generální sekretář OSN António Guterres (nar. 1948) prohlásil, že pozornost věnovaná klimatickým změnám je nevyhnutelnou prevencí pro snížení rizika vzniku globálního konfliktu.

A

V systému **cap and share** vědci rozhodují, kolik uhlíkových emisí je možné vyprodukovat. Emisní povolenky vláda rovnoměrně rozdělí mezi dospělé občany, a ti je mohou prodat společnostem využívajícím fosilní paliva. Tímto způsobem dostanou občané kompenzaci cen, které v důsledku omezování emisí porostou.

Fosilní paliva jsou pro kapitalismus hlavním zdrojem energie už od doby průmyslové revoluce. Omezování jejich použití vyžaduje zásadní změny v politice i hospodářství. Pařížská dohoda, vytvořená v roce 2015 a podepsaná 2016, vyjadřuje odhodlání 195 zemí zpomalovat globální oteplování. Taková snaha je sice chvályhodná, hlavním problémem bohužel zůstává, že neexistují postihy pro země, které omezování emisí nedodržují.

Strategie jako „cap and share" nebo obchodovatelné energetické kvóty umožní zemím snižovat uhlíkové emise spravedlivě a v průběhu několika let. To však vyžaduje, aby se vlády na celém světě k tomuto plánu zavázaly jak politicky, tak ekonomicky investicemi do mechanismů, které budou regulace vymáhat, ale také aby vynalezly způsob, jak trestat ty, co se jimi nebudou řídit. Další problém je, že klimatické změny jsou v některých zemích politickým problémem – hlavně v USA, kde republikánský Trumpův kabinet oslabil řadu předpisů týkajících se životního prostředí a USA vyjmul z Pařížské dohody.

Kapitalismus by mohl nabídnout řešení.

Tak jako v 18. století existovaly dotace pro britské výrobce, aby investovali do zařízení šetřících lidskou práci, což napomohlo rozvoji průmyslové revoluce, stejně nutné budou pobídky pro zpomalování klimatických změn. V dubnu 2016 Světová banka oznámila, že 28 % jejích budoucích investic půjde na projekty ovlivňující klimatické změny, např. ekologický transport, a že veškeré budoucí půjčky budou zohledňovat vliv projektu na globální oteplování.

Pokud se obnovitelným zdrojům energie dostane tak rozsáhlého výzkumu a vývoje jako těm neobnovitelným, postupnými inovacemi budou stále spolehlivější, účinnější a produktivnější. Zde se také skrývá potenciál mnoha milionů pracovních míst, který by dále podporoval růst udržitelného a uhlíkově-neutrálního kapitalismu.

Obchodovatelné energetické kvóty (TEQ) vznikají v elektronickém systému, který výrobcům energie určí karbonové hodnocení založené na množství produkovaných skleníkových plynů. Na začátku roku každá země dostane svůj TEQ rozpočet, který se každoročně snižuje. Každá dospělá osoba má na týden určitý počet volných TEQ jednotek, které utrácí nákupem uhlíkových paliv a elektřiny. Je-li potřeba více jednotek, je možné je koupit, přebytečné jednotky se dají prodat. Vlády a korporátní spotřebitelé energie své TEQ kupují na každotýdenní aukci.

B

A **Rok 2014 – nejsušší zimu na středním východě za několik desítek let ilustruje snímek z palestinské vesnice al-Auja nedaleko Jericha. Takové počasí může ohrozit světové ceny potravin – místní sklizeň zmizela a s ní živobytí zemědělců. Sucha různého rozsahu sužují téměř dvě třetiny už tak dost omezené orné půdy v Sýrii, Libanonu, Jordánsku, na palestinských územích a v Iráku.**

B **Ochránci životního prostředí s poselstvím míru a naděje před Eiffelovou věží v Paříži, kde se roku 2015 konala Konference OSN o klimatických změnách.**

Internet může podporovat inovace a ekonomický rozvoj. Revoluci v komunikaci prvedl už tím, že umožnil rychlé šíření informací. V roce 1995 mělo internetové připojení méně než 1 % světa. V roce 2017 je to už 51,7 %. Vývoj výroby a designu způsobil, že počítače jsou stále výkonnější a přenosnější. Veřejně přístupný software umožňuje rychlé šíření a zlepšování technologií, a tím zrychluje proces postupných inovací.

Nejvíce se internet používá v rozvinutých zemích (v roce 2017 mělo nejvyšší podíl internetových uživatelů Japonsko: 94 %), ale rychle se šíří i v rozvojovém světě. Například mezi lety 2000 a 2017 se množství uživatelů internetu v Nigérii zvýšilo o 46,7 % a v Bangladéši o 66,9 %. Zásadní roli v tomto trendu hrají chytré telefony. Internet také poprvé v historii nabízí obrovským územím přístup k bankovnictví. Systémy jako M-Pesa umožňují lidem ukládat, vybírat a převádět peníze elektronicky. Tím se odstraňují problémy spojené s hotovostí – krádeže a falšování. V budoucnosti blokchainy umožní vznik digitálních měn, jakou je např. bitcoin, které budou bezpečné a transparentní.

M-Pesa („M“ vyjadřuje „mobilní“; pesa = svahilsky peníze) je mobilní bankovní služba, která byla poprvé představena v Keni v roce 2007. Rozšířila se do 9 dalších zemí: Albánie, Konga, Egypta, Ghany, Indie, Lesotha, Mosambiku, Rumunska a Tanzanie. Od roku 2007 do 2016 ji aktivně využívalo 29,5 milionů zákazníků a zpracovala 6 miliard transakcí.

Blockchain je bezpečná digitální účetní kniha, poprvé byla použita roku 2008. Zaznamenané informace jsou uložené v databázi rozprostřené v milionech počítačů, což znamená, že jsou snadno dosažitelné, zároveň je však z důvodu vysoké decentralizace téměř nemožné se do knihy nabourat. Jakmile je transakce provedena, zaznamená se a není možné ji změnit.

A Aby mohli klienti používat M-Pesa, nemusí mít přístup k bance – právě pro takové lidi byl systém vytvořen. V servisních outletech M-Pesa, jakým je třeba tento v keňském Nairobi, uživatelé ukládají peníze, s nimiž potom mohou digitálně nakládat pomocí svých mobilních telefonů.

Internet také umožňuje vznik mezinárodních sociálních a hospodářských sítí, které jsme si dříve ani nedokázali představit. Teoreticky vytváří digitální ekonomika některým sektorům celosvětový pracovní trh a zároveň společnostem umožňuje přístup k zákazníkům na celém světě. Aby to tak mohlo být i v budoucnosti, je nutné zachovat neutralitu sítě.

Jedním z historických důvodů existence nerovností ve světě je nerovnoměrné přijímání technologií. Je klíčové zachovat globální a otevřený charakter internetu k tomu, aby se to neopakovalo i s digitálními technologiemi.

Bitcoin je digitální měna a první realizace blockchainu. Vznikla v roce 2009, každý bitcoin je část kódu. Jsou „těženy" lidmi, kteří používají své počítače ke sledování transakcí. Systém je decentralizovaný a umožňuje elektronické platby mezi uživateli. Bitcoiny se ukládají ve virtuálních peněženkách, do nichž je přístup chráněný heslem. Transakce jsou veřejné, ale anonymní. Bitcoiny lze koupit za národní měny na směnárenských serverech.

Neutralita sítě je princip zakazující vládám a společnostem omezovat uživatelům přístup a sdílení informací na internetu.

A

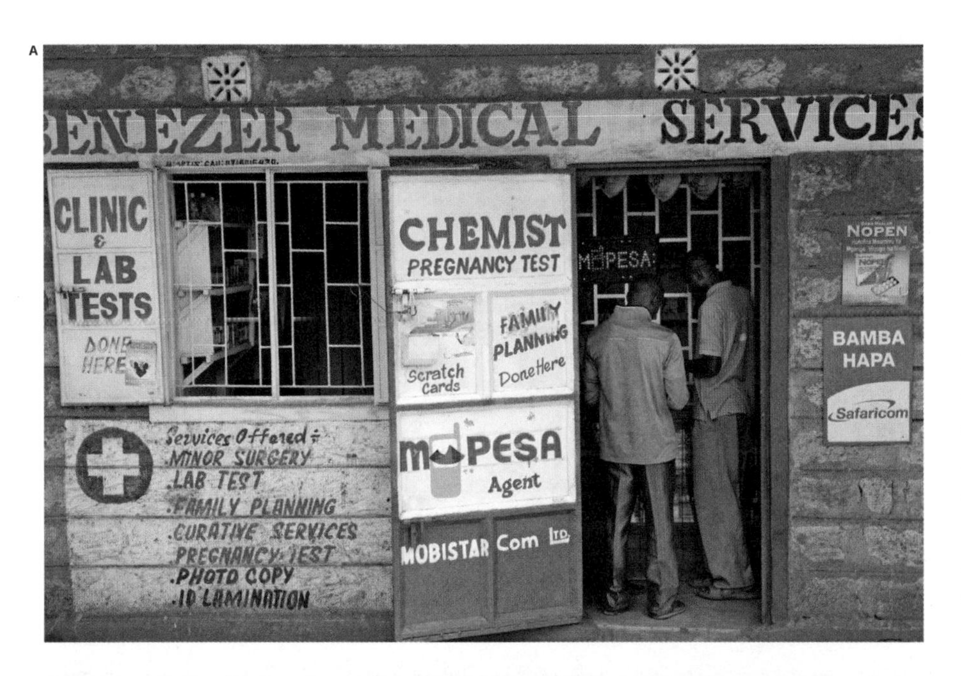

500
100
100
50

5. Závěr

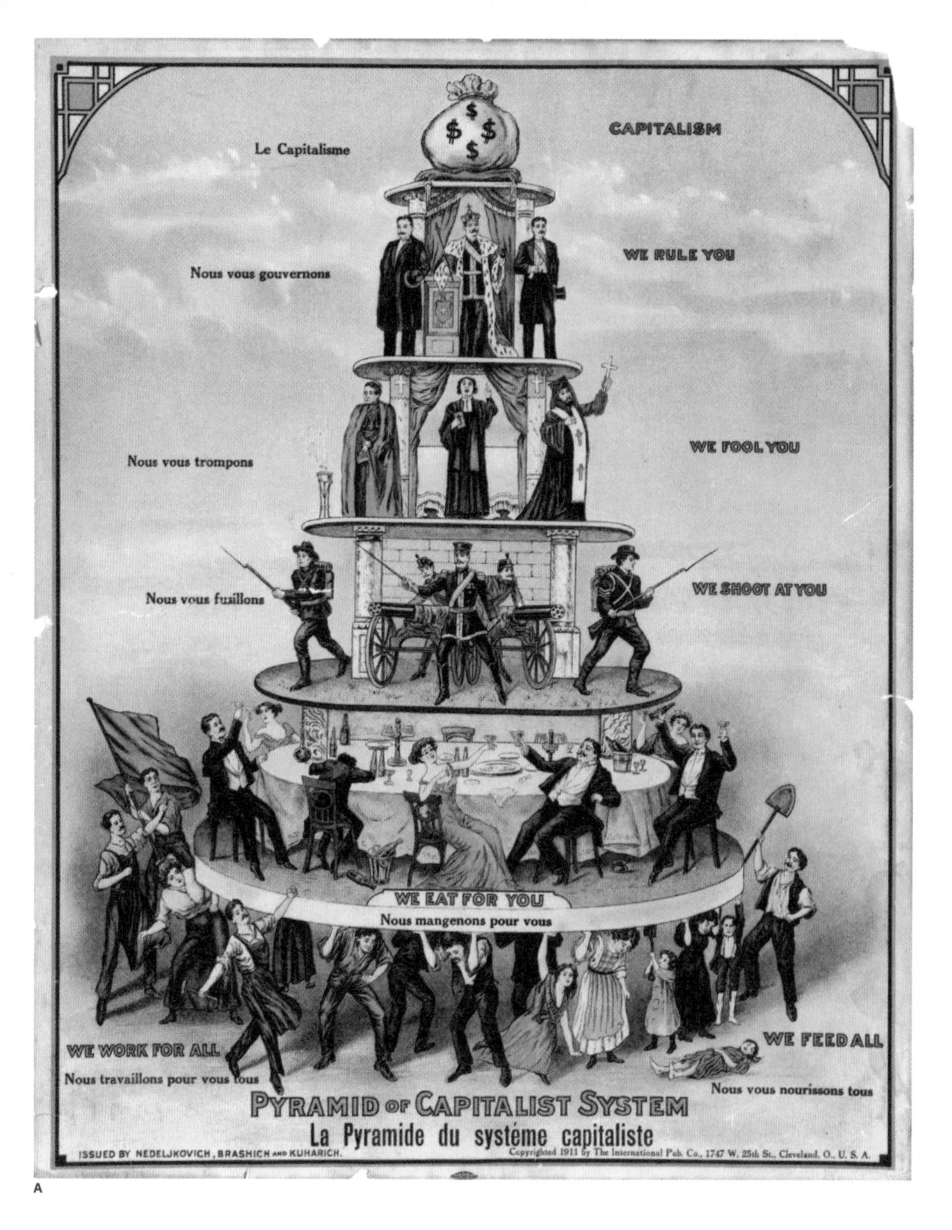

A

V této knize najdete historii, úspěchy i nezdary kapitalismu spolu s několika možnými alternativami na jeho úpravu. Stále tu však visí otazník: Funguje kapitalismus?

Jistě, kapitalismus dosáhl četných úspěchů. Dokázal vymanit z bídy více lidí než jakýkoli jiný ekonomický systém. Inspiroval inovace a technologie, které nám prodloužily a usnadnily život. Co se týká absolutní výše HDP na hlavu, svět stále bohatne. Dnes narozené dítě se může těšit na život dvakrát delší než před dvěma staletími.

Dějiny ukázaly, že nejvytrvalejší pokus o alternativu ke kapitalismu, který prováděli v Sovětském svazu, skončil neúspěchem: vedl k ekonomické stagnaci a rozpadu. V průběhu minulých 40 let si země, které dovolily tržním silám kapitalismu vzkvétat, především Indie nebo Čína, vedly dobře. Ovšem obhájci kapitalismu nemohou jen poukazovat na historické úspěchy.

B

A „Pyramida kapitalistického systému", uveřejněná v novinách Industrial worker roku 1911. Zobrazuje hierarchii společnosti postavené na práci dělníků.

B V roce 1938 California Arabian Standard Oil Company (nyní Saudi Aramco) objevila komerčně zajímavé ropné ložisko v Dahránu, na východním pobřeží Sauské Arábie. Objev transformoval místní hospodářství a učinil ze země jednoho z největších vývozců ropy na světě.

A

Některé z nejpalčivějších problémů, kterým dnes planeta čelí, jsou přímým důsledkem neúspěchů kapitalismu. V tomto systému se nerovnost v bohatství jednotlivců během posledních desítek let začala prudce zvětšovat. Tento problém existuje jak uvnitř států (kde menšiny často vydělávají méně než průměr), tak mezi nimi. Obchodní zájmy zřejmě hrály významnou roli v destabilizaci některých částí světa a přispěly k ničivým konfliktům. Kapitalismus také prohloubil negativní dopad lidské činnosti na životní prostředí, vedl k vyčerpání a ničení přírodních zdrojů a ke změnám klimatu, které mohou mít katastrofální následky. Od svého počátku v 18. a 19. století kapitalismus spoléhal na neobnovitelné zdroje energie, jakými jsou uhlí a ropa. Tato závislost na mnoha místech přetrvala do 21. století. Budoucnost závisí na podpoře alternativních obnovitelných zdrojů.

Pak jsou tu další problémy, které kapitalismus nevyřešil. Přestože pomohl miliardám lidí z extrémní chudoby, nepovedlo se mu odstranit patriarchální charakter lidské společnosti.

Ačkoli v rozvinutých zemích neexistují rozdíly mezi produktivitou různých pohlaví, mezi ženami a muži stále trvají obrovské disproporce. Zastoupení žen na vyšších manažerských postech je podivuhodně nízké. V roce 2017 pouze 6 % společností na seznamu Fortune 500, který uvádí největší americké firmy, vedly ženy. Kromě toho bývají ženy často odsouzeny k užšímu výběru hůře placených zaměstnání než muži.

B

Obecně bývají ženami dominovaná povolání hůře placená a méně prestižní než ta převážně mužská. Protože ženy častěji než muži poskytují neplacenou péči závislým osobám (především svým dětem), podstatně častěji pracují na částečný úvazek, a tak je jejich pozice na pracovním trhu nejistější. Gender pay gap (procentuální rozdíl mezi průměrným platem žen a mužů) existuje všude na světě a ve všech odvětvích. V Británii činí u zaměstnanců na plný úvazek 13,9 %. Toto je další z globálních problémů, který se mění příliš pomalu.

Podle Světového ekonomického fóra to bude za současné rychlosti sbližování platů ženám trvat 170 let, než budou vydělávat stejně jako muži.

A Osamělá žena protestuje proti nerovnosti platů žen a mužů v Cincinnati, v Ohiu, sedmdesátá léta 20. století. Během této dekády neprošlo přijetí dodatku k Ústavě USA o rovných právech mužů a žen o hlasy tří států.

B Světové ekonomické fórum spojuje politické a obchodní lídry, aby dohromady „zlepšili stav zeměkoule". Jeho kritici, jako tito protestující v New Yorku v roce 2002, tvrdí, že se jedná o další kličku prosazující zájmy elit.

A

Ústředním rysem kapitalismu je nerovnost, ale obhájci tohoto systému říkají, že nerovnost nemusí být vždy na škodu, protože může působit jako usměrňující, nebo dokonce inspirující síla. Může ekonomické činitele motivovat ke zlepšování, a tím podporuje inovace a zvyšování produktivity. Ovšem kritici kapitalismu zdůrazňují, že nerovnost má i neplánované negativní důsledky. Pokud dosáhne příliš velkého stupně, vede ke vzniku pevně zakořeněné oligarchie, která může dlouhodobě dusit růst tím, že se snaží zachovat systém, který je pro ni příznivý.

V takovém případě je velmi nepravděpodobné, že se zisk a bohatství rozdělí mezi všechny. Elity si užívají přínosu pozitivních externalit z minulosti a neposkytují adekvátní kompenzaci za stávající negativní externality. V budoucnosti bude třeba spravedlivěji rozdělit kladné i záporné vedlejší dopady kapitalismu, tím se podpoří růst v dlouhodobém horizontu.

Nezapomeňme, že důležitým stavebním kamenem při budování kapitalismu bylo svržení vlád složených z dědičných elit, které se zodpovídaly jen samy sobě. V 21. století je však nesmí nahradit skupiny elitních boháčů. Především „velká pětka" firem ze Silicon Valley (Amazon, Apple, Facebook, Google a Microsoft) má stále vyšší moc a vliv na naše životy, který ještě dále poroste – pokud se nebude nijak regulovat – spolu s tím, jak poroste význam digitální ekonomiky.

Adam Smith, první moderní ekonom, říkal, že volný trh povede k nejefektivnějším výsledkům. Ovšem naprostá víra pouze v tržní síly k optimálním výsledkům nevede ze tří důvodů.

A **Hospodářský růst Indie přinesl prosperitu milionům lidí a nákupní střediska, jako je toto v Bombaji, jsou dnes běžným zjevem. Ovšem podle údajů Světové banky, v roce 2011 více než 20 % indické populace stále žilo pod hranicí chudoby.**

B **Čínská vláda oznámila povinné snižování ocelářské výroby jako součást snahy o omezení emisí skleníkových plynů. Bohužel mnoho továren, jako tato ilegální ocelárna ve Vnitřním Mongolsku na severu Číny, tyto příkazy ignoruje a v činnosti neustalo.**

B

A

Zaprvé kapitalismus vytváří systém, jehož nejvyšším motorem je obohacení jednotlivce. To nevyhnutelně vede ke krátkodobému myšlení a spekulativnímu chování, i když to z dlouhodobě hospodářského hlediska není nejvýhodnější. Krize v roce 2008 ukázala, že ve stále více propojené globální ekonomice to rychle může vést k celosvětové pohromě, z níž se mnoho zemí zotavuje dodnes.

Zadruhé, jak říkal Herbert A. Simon, v moderním hospodářském systému jsou organizace důležitější než trhy. Když porozumíme lidem jako členům organizací, získáme úplnější obrázek jejich chování. Lidé se neidentifikují jako členové trhu. Kromě toho se neřídí pouze motivem maximalizovat svůj zisk; lidská rozhodnutí jsou daleko komplexnější a rozmanitější.

Zatřetí téměř ve všech transakcích existuje informační asymetrie. Proto také lze říci, že neexistuje žádný skutečně efektivní trh. Dokonce i teoreticky svobodný tok lidských vědomostí, který existuje díky internetu, tento problém nevyřeší, protože není věrným odrazem osobních přesvědčení a priorit.

Herbert A. Simon (1916–2001) byl americký učenec a jeden ze zakladatelů behaviorální ekonomie. Zasloužil se o zásadní přínos v mnoha oborech – ekonomice, sociologii, počítačových vědách, psychologii a filozofii. Většina z jeho děl se soustředila na problematiku rozhodovacích procesů, za což mu byla v roce 1978 udělena Nobelova cena za ekonomii.

Informační asymetrie nastává, když jedna strana má více informací (nebo lepší informace) než druhá. To může být velmi důležité pro získání výhody. Informační asymetrie však také může způsobovat nedokonalé fungování trhu – protože jedna strana ví víc než druhá. Tím vzniká ekonomický problém: kupující nebo prodávající se nerozhodne optimálně. Informační asymetrie může vést třeba k tomu, že pojišťovny zvýší cenu pojistného, protože nemají úplné informace o lidech, kteří si jejich pojistky kupují. Problém lze vyřešit pomocí „signalizace" (jedna strana informace dobrovolně dodá) a „screeningu" nebo „prověřování" (strana v nevýhodě se snaží od druhé strany informace získat). V roce 2001 za práci v oboru asymetrických informací získali Nobelovu cenu američtí ekonomové George Akerlof (nar. 1940), Michael Spence (nar. 1943) a Joseph Stiglitz (nar. 1943).

A **Instagramový účet „Bohaté děti z Ruska" ukazuje, jak žijí děti bohatých ruských oligarchů.**

Protože nedokonalosti ve fungování volného trhu existují, je nutná regulace – přicházející od institucí, především státního charakteru.

Demokratické vlády mohou omezovat nejškodlivější účinky trhu a zaměřit se na dlouhodobě vyvážený hospodářský vývoj a zároveň skládat účty občanům. Tímto způsobem se zvýrazní nejlepší vlastnosti kapitalismu a ty škodlivé se upozadí. Je ovšem nepravděpodobné, že univerzální přístup k tomuto problému bude účinný. Obecná řešení a strategie nebudou stačit, bude nutné je přizpůsobit místním podmínkám a okolnostem.

Tak funguje kapitalismus? Do jisté míry pro miliardy lidí díky nepochybným materiálním výhodám, které z něj plynou, už „zafungoval". Zároveň však vytvořil dlouhotrvající nerovnosti a poškodil životní prostředí.

Abychom mohli skutečně rozhodnout o úspěchu či neúspěchu kapitalismu, musíme se zamyslet nad tím, zda nám vytvořil nástroje, které budeme potřebovat k řešení výzev, jež nás do budoucna čekají.

LITERATURA

Acemoğlu, Daron and Robinson, James A., *Why Nations Fail: The Origins of Power, Prosperity and Poverty* (London: Profile, 2012)

Akerlof, George A. and Shiller, Robert J., *Animal Spirits: How Human Psychology Drives the Economy, and Why It Matters for Global Capitalism* (Princeton: Princeton University Press, 2009)

Allen, Robert C., *The British Industrial Revolution in Global Perspective* (Cambridge: Cambridge University Press, 2009)

Allen, Robert C., *Global Economic History: A Very Short Introduction* (Oxford: Oxford University Press, 2011)

Chang, Ha-Joon, *23 Things They Don't Tell You About Capitalism* (London: Allen Lane, 2010)

Chang, Ha-Joon, *Economics: The User's Guide* (London: Pelican, 2014)

Clark, Gregory, *A Farewell to Alms: A Brief Economic History of the World* (Princeton: Princeton University Press, 2007)

Datta, Saugato (ed.), *Economics: Making Sense of the Modern Economy* (3rd edition, London: The Economist in association with Profile Books, 2011)

Deaton, Angus, *The Great Escape: Health, Wealth, and the Origins of Inequality* (Princeton and Oxford: Princeton University Press, 2013)

Diamond, Jared, *Guns, Germs, and Steel: A Short History of Everybody for the Last 13,000 Years* (New York: W.W. Norton, 1997)

Gordon, Robert, *The Rise and Fall of American Growth* (Princeton: Princeton University Press, 2016)

Greenwald, Bruce C. and Kahn, Judd, *Globalization: The Irrational Fear That Someone in China Will Take Your Job* (Hoboken: John Wiley and Sons, 2009)

Harford, Tim, *The Undercover Economist* (2nd edition, London: Abacus, 2006)

Kahneman, Daniel, *Thinking, Fast and Slow* (New York: Farrar, Straus and Giroux, 2011)

Kay, John, *Other People's Money: Masters of the Universe or Servants of the People?* (London: Profile, 2015)

Klein, Naomi, *The Shock Doctrine: The Rise of Disaster Capitalism* (New York: Metropolitan Books/Henry Holt, 2007)

Klein, Naomi, *This Changes Everything: Capitalism vs. the Climate* (London: Allen Lane, 2014)

Lanchester, John, *Whoops! Why Everyone Owes Everyone and No One Can Pay* (London: Penguin, 2010)

Lanchester, John, *How to Speak Money: What the Money People Say – And What They Really Mean* (London: Faber & Faber, 2014)

Landes, David S., *The Wealth and Poverty of Nations* (London: Abacus, 1999)

Levinson, Marc, *The Box: How the Shipping Container Made the World Smaller and the World Economy Bigger* (Princeton: Princeton University Press, 2006)

Lewis, Michael, *Flash Boys: A Wall Street Revolt* (New York: W.W. Norton, 2014)

Maddison, Angus, *Contours of the World Economy 1–2030 AD: Essays in Macro-Economic History* (Oxford: Oxford University Press, 2007)

Milanovic, Branko, *Global Inequality: A New Approach for the Age of Globalization* (Cambridge, MA: Harvard University Press, 2016)

Mokyr, Joel, *The Enlightened Economy: An Economic History of Britain 1700–1850* (New York: Yale University Press, 2009)

Mason, Paul, *Postcapitalism: A Guide to Our Future* (London: Allen Lane, 2015)

Morris, Ian, *Why the West Rules—For Now: The Patterns of History, and What They Reveal About the Future* (New York: Farrar, Straus and Giroux, 2010)

Murphy, Richard, *The Joy of Tax: How a Fair Tax System Can Create a Better Society* (London: Bantam Press, 2015)

Nayyar, Deepak, *Catch Up: Developing Countries in the World Economy* (Oxford: Oxford University Press, 2013)

North, Douglass C., *Understanding the Process of Economic Change* (Princeton: Princeton University Press, 2005)

Piketty, Thomas, *Capital in the Twenty-First Century* (Cambridge, MA: Harvard University Press, 2014)

Pomeranz, Kenneth, *The Great Divergence: China, Europe, and the Making of the Modern World Economy* (Princeton: Princeton University Press, 2000)

Rodrik, Dani, *The Globalization Paradox* (Oxford: Oxford University Press, 2011)

Sen, Amartya, *Development as Freedom* (Oxford: Oxford University Press, 1999)

Stiglitz, Joseph E., *Freefall: Free Markets and the Sinking of the Global Economy* (London: Penguin, 2010)

Stiglitz, Joseph E., *The Price of Inequality: How Today's Divided Society Endangers Our Future* (New York: W.W. Norton, 2012)

Stiglitz, Joseph E. and Greenwald, Bruce C., *Creating a Learning Society: A New Approach to Growth, Development, and Social Progress* (New York: Columbia University Press, 2014)

Valdez, Stephen and Molyneux, Philip, *An Introduction to Global Financial Markets* (7th edition, Basingstoke: Palgrave Macmillan, 2013)

Vigna, Paul and Casey, Michael J., *Cryptocurrency: How Bitcoin and Digital Money Are Challenging the Global Economic Order* (London: Bodley Head, 2015)

Wolman, David, *The End of Money: Counterfeiters, Preachers, Techies, Dreamers – and the Coming Cashless Society* (Boston: Da Capo, 2012)

Wrigley, E. A., *Energy and the English Industrial Revolution* (Cambridge: Cambridge University Press, 2010)

FOTOGRAFIE

Snažili jsme se u všech fotografií zjistit a uvést majitele autorských práv.

n = nahoře, d = dole, c = uprostřed, l = vlevo, p = vpravo

2 Courtesy Dan Tague
4–5 Paulo Whitaker / Reuters
6–7 Visions of America, LLC / Alamy Stock Photo
8 Courtesy Halas & Batchelor
11 De Agostini / G. Cigolini / Veneranda Biblioteca Ambrosiana / Bridgeman Images
12 Maersk Line
13 Simon Dawson / Bloomberg via Getty Images
14 n Doha, Qatar, 1980s
14 d Doha, Qatar, 2000s
15 l Issouf Sanogo / AFP / Getty Images
15 p Robert Matton AB / Alamy Stock Photo
16–17 Alte Nationalgalerie, Berlin
18 Soukromá sbírka
19 Soukromá sbírka
20 l Soukromá sbírka
20 p Yale Center for British Art, Paul Mellon Collection
21 l SSPL / Getty Images
21 p Fox Photos / Getty Images
22 Library of Congress, Washington, D.C.
23 Florilegius / Alamy Stock Photo
24 n Michel Porro / Getty Images
24 c Hulton Archive / Getty Images
24 d The Trustees of the British Museum, London
25 Soukromá sbírka
26 DEA Picture Library / De Agostini / Getty Images
27 The Granger Collection / Alamy Stock Photo
28 British Library, London
29 l Soukromá sbírka
29 p Soukromá sbírka
30 National Portrait Gallery,London
31 Courtesy Classical Numismatic Group, Inc.,www.cngcoins.com
32 Anindito Mukherjee / Reuters
33 Henrique Alvim Corręa
34 Courtesy Lamptech
35 Rykoff Collection / Getty Images
36 World History Archive / Alamy Stock Photo
37 l Soukromá sbírka
37 p Universal Images Group / Universal History Archive / Diomedia
38 Popperfoto / Getty Images
39 Margaret Bourke-White / Getty Images
40 l Hulton-Deutsch Collection / Corbis via Getty Images
41 Bettmann / Getty Images
42 Smith Collection / Gado / Getty Images
43 Everett Collection Historical / Alamy Stock Photo
44 The Conservative Party Archive / Getty Images
45 Süddeutsche Zeitung Photo / Alamy Stock Photo
46 © European Communities,1993 / E.C. – Audiovisual Service / Photo Christian Lambiotte
47 Sion Touhig / Sygma via Getty Images
48 Chris Ratcliffe / Getty Images
49 Warrick Page / Getty Images
50–51 Stuart Franklin / Magnum Photos
52 Musée d'Orsay, Paris
53 British Library, London
54 New Holland Agriculture
55 Agencja Fotograficzna Caro / Alamy Stock Photo
56 l United States Patent Office
56 p United States Patent Office
57 Courtesy Allphones
58 n Zuma / Diomedia
58 d Zuma / Rex / Shutterstock
59 n, d Doug Coombe
60 Bettmann / Getty Images
61 Darryn Lyons / Associated Newspapers / Rex / Shutterstock
62 Fine Art Images / Diomedia
63 Pictures from History / akg Images
64 n, d Michael Seleznev / Alamy Stock Photo
65 Ferdinando Scianna / Magnum Photos
66 Greg Baker/ AP / Rex / Shutterstock
67 l, p From Measuring Economic Growth from Outer Space, J. Vernon Henderson, Adam Storeygard, David N. Weil. NBER Working Paper No. 15199, 2011
68 n Harald Hauswald / Ostkreuz

68 d Herbert Maschke, Uliční výjev u kavárny Kranzler, 1962. Stiftung Stadtmuseum Berlin, Morlind Tumler / Cornelius Maschke. Reproduction Cornelius Maschke
69 Imaginechina / Rex / Shutterstock
70 Sandry Anggada
71 Sebastián Vivallo Oñate / Agencia Makro / LatinContent / Getty Images
72 Yvan Cohen / LightRocket via Getty Images
73 Kham / Reuters
74–75 Kevin Frayer / Getty Images
76 Mail Online
77 Fox Photos / Getty Images
78 Sinopix / Rex / Shutterstock
79 Kristoffer Tripplaar / Alamy Stock Photo
80 Frans Hals Museum, Haarlem, Netherlands
81 Thomas Locke Hobbs
82 n, c, d AFP / Getty Images
83 Rex / AP / Shutterstock
84 Artem Samokhvalov / Shutterstock
85 Kazuhiro Nogi / AFP / Getty Images
86 l Soukromá sbírka
86 p Courtesy Nathan Mandreza
87 l Courtesy Lalo Alcaraz
87 p Jeanne Verdoux, jeanneverdoux.com
88 Daniel Leal-Olivas / AFP / Getty Images
89 Chris Barker, christhebarker.tumblr.com
90 l Marianne
90 p Der Spiegel
91 Milos Bicanski / Getty Images
92 M/Y Eclipse, builder Blohm+Voss, designer Terence Disdale
93 l Jean-Pierre Muller / AFP / Getty Images
93 p Simon Dawson / Bloomberg via Getty Images
94–95 Lukas Schulze / Getty Images
96 n, d Courtesy Cordaid
97 Rex / AP / Shutterstock
98 Romeo Gacad / AFP / GettyImages
99 Li Feng / Getty Images
100–101 Aly Song / Reuters
102 Robert Schediwy
103 l, p Landsberger Collection, International Institute of Social History, Amsterdam
104 Reuters
105 Carlos Barria / Reuters
106 © Walker Evans Archive, The Metropolitan Museum of Art, New York
107 Oli Scarff / Getty Images
108 Courtesy Harrods Bank
109 Scott Olson / Getty Images
110 l mikeledray / Shutterstock
110 p Jeremy Brooks
111 n Doran
111 d mikeledray / Shutterstock
112 Nicholas Kamm / AFP / Getty Images
113 meinzahn / 123rf.com
114 © Paolo Woods and Gabriele Galimberti
115 Bruce Rolff / Shutterstock
116 Ruben Sprich / Reuters
117 Denis Balibouse / Reuters
118 l Granger Historical Picture Archive / Alamy Stock Photo
118 p Bettmann / Getty Images
119 Library of Congress, Washington, D.C.
120 Randy Olson / National Geographic / Getty Images
121 Carolyn Drake / Magnum Photos
122 Ammar Awad / Reuters
123 Benoit Tessier / Reuters
125 Benedicte Desrus / Alamy Stock Photo
126–127 Steve McCurry / Magnum Photos
128 Soukromá sbírka
129 914 collection / Alamy Stock Photo
130 Cincinnati Museum Center / Getty Images
131 Alex Majoli / Magnum Photos
132 Radu Bercan / Shutterstock
133 Kevin Frayer / Getty Images

Rejstřík

Autor by rád poděkoval redaktorům a grafikům z Thames & Hudson, díky kterým mohla tato kniha vzniknout. Dále svým kolegům z Cambridgeské univerzity za mnohé rady a debaty o všech ekonomických změnách.

Kniha je věnována autorově kmotřence Bel a kmotřenci Billymu.

Velké myšlenky
Funguje kapitalismus?

Published by arrangement with Thames & Hudson Ltd, London, IS CAPITALISM WORKING? © Thames & Hudson Ltd, 2018

General Editor: Matthew Taylor
Designed by Daniel Streat at Visual Fields

This edition first published in Czech Republic in 2019 by Euromedia Group a.s., Prague

ISBN 978-80-242-6258-1

Velké myšlenky
Funguje kapitalismus?
Jacob Field

Z anglického originálu Is Capitalism Working?, vydaného nakladatelstvím THAMES & HUDSON LIMITED of 181A High Holborn, London, ve Velké Británii v roce 2019, přeložila Markéta Schubertová
Sazba a úprava obálky TYPOSTUDIO, s. r. o., Praha
Redigovala Veronika Konvalinková
Odpovědný redaktor Filip Hladík
Technický redaktor Jiří Staněk
Počet stran 144
Vydala Euromedia Group, a. s. – Knižní klub v edici Universum, Nádražní 30, 150 00 Praha 5 v roce 2019 jako svou 10 132. publikaci
Vytištěno ve Slovinsku
Vydání první

Naše knihy na trh dodává Euromedia – knižní distribuce, Nádražní 30, 150 00 Praha 5
Zelená linka: 800 103 203
Tel.: 296 536 111
Fax: 296 536 246
objednavky-vo@euromedia.cz

Knihy lze zakoupit v internetovém knihkupectví www.knizniklub.cz